I unmu

Gyda chyfarchion,
Loma Edwards

Y GOEDEN WEN

Sonia Edwards

———

Gwasg
Gwynedd

Argraffiad Cyntaf — Tachwedd 2001

ISBN 0 86074 177 X

*Cyhoeddwyd ac argraffwyd
gan Wasg Gwynedd, Caernarfon*

'And all night long we have not stirred,
And yet God has not said a word!'

ROBERT BROWNING

Ac meddai'r Bore Bach â'r barrug ar ei wynt:

Sut deimlad oedd o, Nen? Bod yn anffyddlon? Cael dyn arall yn dwad tu mewn i ti ar ôl yr holl flynyddoedd 'ma o fod yn briod? Roeddet ti bron fel gwyryf, yn doeddet? Bron yn bur.

Synhwyrais dy ofnau di i gyd. Ar ôl y tro cynta' hwnnw. Ar ôl i chi fod dan grwyn eich gilydd a'ch arogleuon chi'n un. Ar ôl iddo orfod mynd am ei bod hi'n dechra gwawrio a chitha'n gyfrinach fel y lleuad ei hun. Ac mi ddoth yr hen felancoli, yn do, a chydio ynot ti, Nen fach. Mi ganodd ei rwndi yn dy berfedd di, yn hyll o fodlon ei fod o'n dy ennill di'n ôl. Mi gorddodd dy hiraeth di ac edliw pethau – hen blentyndod na ddeuai'n ôl a'i ogla fo'n newydd o hyd fel llieiniau gwyn glân wedi sychu mewn haul a gwynt.

Mi hiraethaist ti, Nen. Am dy gariad golygus a golau'i gar o fel llygaid tylluan yn gwanu'r gwyll: gwanu, diflannu dro. Do, 'rhen hogan, mi hiraethaist – am dy wyryfdod coll, efallai. Am wanwynau-genod-bach pan oedd bywyd yn symlach a dynion yn ddiarth a hyll a'u lleisiau nhw'n tarfu ar lendid pethau.

7

Pan oeddet ti'n iach a bach – a dibechod, Elen Fwyn.

Ond mi wyt ti'n bechadures, rŵan. Un fach ddel, cofia. O, un dlos.

Wyt, Elen. Elen Fwyn. Mi wyt tithau'n cofio'r nos.

MEDI

Roedd 'na ddau ddyn yn ei charu hi.

'Ma' 'na ddau ddyn yn dy garu di, Nen.' Ac mi oedd yr eiddigedd yn pigo 'ngeiriau i hefyd.

Edrychodd Nen yn hir arna i. Roedd hithau wedi'i deimlo fo'n dynn yn y frawddeg honno a finna'n difaru. Roedden ni'n ffrindiau gorau ers dyddiau ysgol. Fel un, Nen a fi. Wedi rhannu pethau.

'Ond dim ond un dwi'n ei garu,' meddai'n dawel. O, mor dawel. Fel siarad â'i henaid ei hun. Siarad â rhywun a wyddai'i chyfrinach eisoes.

Ac mi wyddwn innau pwy oedd o. Ynof fi'r oedd hi wedi ymddiried o'r cychwyn cynta'. Dwi'n cofio'i gorfoledd hi. Ei hymffrost bron. Yn sâl isio deud. A finna'n sâl am ei bod hi wedi gwneud. Mi welais i hi'n blodeuo gyda'r garwriaeth newydd 'ma. Yn tyfu. Mi oedd Owain wedi cynnau rhywbeth ynddi. Finna'n deud wrthi hi'n fuan wedyn:

'Ti'n serennu i gyd, Nen. Be' mae o'n neud i ti, dywed?'

Mi oedd hi'n lecio deud ei enw fo. Mi ddywedodd ei enw fo bryd hynny, ei rowlio'n fedrus dros ymyl ei gwefus. Ochenaid fach dlos. Fe'i dychmygais yn

9

ochneidio'i enw fo pan oedden nhw'n caru, pan oedd o'n ei phlesio hi, ei hanwesu hi, rhoi ei fysedd arni, ynddi...

O, Elen fach benfelen, wyddet ti ddim, na wyddet? Mor anodd fu hi i mi. Cael dy gyfeillgarwch di. Oedd, mi oedd hi'n braf. Yn y dechrau. Braf braf melyn-yr-haf. Chdi a fi'n dair oed ac am byth o'n blaenau a'i liwiau'n newid o hyd, yn ffres fel ein ffrogiau ni. Fi oedd yr hynaf. Fi oedd piau chdi. Ti oedd fy ffrind ac mi edrychais ar d'ôl di'n well na chwaer. O, doedd o ddim yn drafferth! Mi oedd arna i isio gneud. Roedd arnat ti f'angen, ond roedd arna innau d'angen dithau, angen sicrwydd dy law fach fregus yn dynn yn f'un i.

'Ti'n gweld bai arna i, yn dwyt ti?'

Ond nid dyna oedd o, naci? Dy isio di i mi fy hun oeddwn i, te, Nen? Dy chwennych di. A wyddet ti ddim. Wyddai neb. Am y cenfigen oedd yn breuo 'nhu mewn i wrth i mi dy golli di'n ysbeidiol i'r llu cariadon oedd gen ti. Wel, mi oeddat ti'n un fach dlws erioed. Annwyl hefo fo. Hawdd dallt sut oeddet ti'n gallu gwneud iddyn nhw wirioni. Ac mi wnest tithau dy siâr o hynny hefyd. Gwirioni. Gadael iddyn nhw droi dy ben di. Torri dy galon di. Ond mi ôn i yna i ti pan fyddai pethau'n mynd yn flêr, yn sychu dy ddagrau di ac yn trio dal fy nghalon fy hun hefo'i gilydd yn ddistaw bach, yn gwybod na chawn i byth mohonot ti. Dim ond bod yno i ti, gafael amdanat ti fel y bydd ffrindiau'n ei wneud, rhoi ambell gusan-chwaer yn dy wallt...

'Nac'dw, Nen. Nid gweld bai...!'

10

Roedd ganddi ffordd dreiddgar o edrych arna i weithiau, rhyw ffordd o gyrraedd mêr fy esgyrn i lle'r oedd y gwir, yn noeth a gwyn fel ei chnawd hithau pan oedd hi'n ei chynnig ei hun iddo...

'Dwi'n hogan ddrwg! Mi wn i hynny...'

Mi oedd ei direidi'n ei gwneud hi'n dlysach fyth. Nofiai gronynnau ohono fo i wyneb yr angst yn ei llygaid hi. Llygaid a ddysgodd sut i ddawnsio o'i achos o. A finna'n ei rhybuddio bryd hynny a hithau'n meddwi ar ddechrau'i nabod o: 'Paid â phefrio gormod o'u blaenau nhw, Nen. Dyna'r arwydd cynta', cofia...'

O ddynes yn cael affêr. O'r wefr. Y dianc trahaus i ffwcio yn y dirgel. Y dychwelyd a'r gyfrinach yn gynnes a llaith rhwng ei chluniau. A dyna'r cyfan oedd o i fod. Dihangfa. Dipyn o sbort. Mi ddywedodd hynny wrtha i. Ymddiried ynof fi. Reit o'r dechrau. Pan ddechreuodd hi 'befrio'. Dweud y cyfan. Ffrindiau gorau oedden ni. I be' arall mae ffrindiau'n dda? Wedyn mi newidiodd pethau. Y pefrio'n mynd yn rhywbeth mwy, peryclach. A dyna ddaru 'mharatoi i fel nad oedd hi'n syndod i mi'i chlywed hi'n dweud, un diwrnod:

'Mae hyn yn fwy o beth na feddyliais i y basa fo, Medi. Yn fwy nag a feddyliais y gallai unrhyw gariad fod. Ma'r cyfan yn fwy na fi rŵan.'

Roedd ei llaw dde'n tylino'i llaw chwith. Ei llygaid hi'n crwydro. Roedd hi fel petae ei haflonyddwch hi ei hun yn codi ofn arni. Peth fel'na oedd o, felly. Y jôc sopi 'ma oedd yn bodoli rhwng cloriau nofelau, mewn ffilmiau du-a-gwyn pan oedd ers talwm i gyd yn ffantasi rhad. Bod mewn cariad. Ond dyma rywun mewn cariad go iawn a doedd o ddim yn dlws. Doedd Nen ddim yn rhydd i garu Owain. Doedd Owain ddim yn rhydd i garu Nen. Ond mi oedd y ddau isio'i gilydd nes bod o'n brifo. Medda hi. Doeddwn i ddim isio'i chredu hi. Ac eto mi wyddwn yn fy nghalon nad oedd neb erioed mewn bywyd go iawn wedi edrych fel ddaru Nen pan ddywedodd hi gymaint yr oedd hi'n ei garu o. Mi oedd 'na rywbeth cysegredig yn ei chyfaddefiad hi. Pur hyd yn oed. Chwerthinllyd bron o lân a pherffaith a phur yn y ferch fyrbwyll 'ma oedd yn twyllo'i gŵr, yn twyllo gwraig dyn arall, yn peryglu sicrwydd ei phlant ei hun. O, Nen. Faset ti ddim wedi gorfod mynd drwy'r gwewyr 'ma i gyd petaet ti wedi troi ata i...

'Dywed rywbeth, Medi.'

Roedd hi am i mi lenwi'r gwacter, y pellter ddaeth rhyngon ni ers pan ddywedodd hi ei bod hi'n ei garu o. Gymaint. Roedd grym ei theimladau tuag ato fo'n wrthun gen i, yn gwrthod gwneud synnwyr. A doedd o ddim hyd yn oed yn ei nabod hi'n iawn. Nid fel roeddwn i'n ei nabod hi. Ers erioed. Ers pan fu gwlith ar bopeth. Ers pan fu hi'n methu ynganu'i henw'n dair oed. Methu dweud 'Elen'. Dim ond 'Nen'. Nen. 'Run gair â'r nefoedd. A finna, droeon, a ninnau'n mynd yn hŷn, isio chwalu'r cymylau yn ei llygaid hi. Er mwyn iddi edrych, a 'ngweld i go iawn.

'Be' ti isio i mi ddeud, Nen?'

'Wn i ddim. Rwbath clên. Deud dy fod ti'n dallt...'

Ac o, mi oeddwn i isio deud fy mod i. Ond doedd o ddim mo'r un gwewyr, nag oedd? Mi chwyddodd gwythïen o olau'r haul dan groen y dydd. Bu'n ddiwrnod llwyd. Jyst clytia' o gwmwl, piso-deryn o law bob hyn-a-hyn yn blorynnod di-ddim hyd wynebau pethau. Tan rŵan. Rŵan mi oedd rhyw boeri'r gog o haul yn bygwth sirioli pethau a Nen yn dweud eto, cyn i mi fedru'i hateb hi:

'Mi ôn i'n arfer casáu pobol hunanol.' Rhwygodd y geiriau'n flêr drwy'i hanadl hi, bachu'n herciog yn erbyn ymylon ei llwnc hi fel hen siswrn.

Ac mi gefais ei chofleidio hi bryd hynny. Roedd ogla glân arni, melys, fel blodau mewn stafell gynnes. Roeddwn i'n ei harogli hi fel y gwnâi mam hefo'i phlentyn, yn llenwi fy synhwyrau â'i melyster hi ac roedd ei dagrau hi'n hallt yn ei ganol o, yn cipio fy ffroenau i fel ogla menyn crwn mewn teisan siwgwr.

Symudodd hi ddim. Roedd ymchwydd ei bronnau'n feddal a chymesur dan y crys-T bach tenau hwnnw, afalau o fronnau bach... Hisht, Nen, dwi yma i ti... melys a hallt a chwfl ei gwallt dros ein hwynebau ni'n dwy...

Crynodd Nen yn sydyn. Rhyw ias fach. Yno'n cwafro – wedyn dim. Dwy nerf yn gwingo fel adenydd yn cyffwrdd... Efallai mai oer oedd hi. Roedd yr awyr wedi sugno'r haul yn ôl. Oer. Efallai wir. Er 'mod i'n ei dal hi'n dynn. Rhy dynn, nes bod iasau'n dechrau dawnsio gwifrau fy nerfau innau. O, Nen, mi oeddwn i isio deud wrthat ti bryd hynny 'mod i'n dallt. Yn dallt be' oedd wedi dy ddeffro dithau...

Eisteddodd fel dol feddal heb dynnu'n ôl, heb wneud dim, heb wrthwynebu, dim ond plygu i fy symudiadau i fel pe na bai dewis ganddi. Roedd ei goddefgarwch parod yn rhoi ryw rym rhyfedd i mi drosti hi, yn deffro pethau chwithig, tlws ynof fi na fedrwn i ddim mo'u hanwybyddu.

Gadawodd i mi ei chusanu. Pan agorais fy llygaid drachefn roedd hi'n edrych arna i heb gwestiynu dim, fel ast ddefaid ddeallus yn ufuddhau i orchymyn hurt. Doedd hi ddim wedi 'meirniadu i. Fy nefnyddio i, efallai, i wneud ei phenyd ei hun. Yr unig beth a ddywedodd hi oedd:

'Mi ôn i'n gwbod, sti, Medi. Ers amser maith. Yn gwbod sut oeddet ti'n teimlo.'

Mi wyddwn bryd hynny na faswn i byth yn gallu caru neb fel rôn i'n ei charu hi. Ond o bell fyddai hynny rŵan. Roeddwn i wedi'i cholli hi i 'nghusan farus fy hun.

Gwisgodd ei chardigan amdani'n drwsgwl. Roedd rhyw swyn anghyffredin yn y symudiadau-hogan-fach oedd ganddi wrth wneud hynny – llyfnu, torchi llewys, sbio i lawr yn reddfol, ddiarwybod bron arni hi'i hun hefo'r hen ystum-cyfri-botymau hwnnw nad oedd wedi'i gadael hi ers dyddiau plentyndod. Roedd gwylio Nen yn hwylio i fynd o un lle i'r llall fel gwylio cwningen wyllt yn 'molchi. Rhyw ddefod fach dlos oedd hi, yn llawn symudiadau gosgeiddig, sydyn a phincio-bach-rhag-ofn: twtsh o lipstic, crib trwy wallt, chwilio yn ei bag am allweddi'r car. Y cyfan yn rhan o'r ddawn ryfeddol 'na oedd ganddi i'w hel ei hun at ei gilydd ar frys a wynebu pethau.

Mi safon ni yno wedyn. Hyd braich. Doedd ein geiriau ni ddim yn cyffwrdd chwaith. Ofynnais i ddim iddi pryd gwelwn i hi eto, dim ond dweud:

'Faset ti ddim yn gallu bod yn hunanol taset ti'n trio, Nen.'

Ond roddodd ei hanner gwên ddyfrllyd fawr o hygrededd i 'ngeiriau i, rywsut.

Ar ôl i Nen fynd, mi ddaeth y glaw. Plorynnod mawr y glaw. Ac yn lle aros hyd y ffenestri'n berlau twt mi fyrstiodd pob un yn hyll fel nad oedd iddyn nhw unrhyw siâp yn y byd.

Glaw hunanol. Yn cymryd heb gynnig dim yn ôl.

Ac meddai'r Dydd â'i gân yn ei ddwrn:

Hwyr y pnawn. Nos yn nesáu. Fy ngolau i'n mynd yn llai, yn llai… Ar bwy rown ni'r bai…?

Tic-toc, tic-toc… Cloc. Tic. Toc.

A sŵn. Byd swnllyd ydi o. Cloch wrth bob dant. Byd ar frys am bump o'r gloch.

Tic. Toc. Pump. Medda'r cloc.

Lle'r wyt ti, ta?

Yma.

Yn rhywle.

Yn cuddio dan y sŵn. Chwyrnu, chwythu, hisian, ffisian. Ffis-ffis-ffisian. Bron â bod yn disian, teiars ceir ar y glaw. Ffis-ian, ffis, ffis, sws-sws swsian, sŵn anadlu herciog fel cyplau'n caru a'u llafur ynghudd dan stêm-diwedd-dydd.

16

Lle'r est ti? Os nad est ti adra... Ei di – ddoi di – adra'n ôl...? Rhy fuan i boeni, holi, pendroni...

'Mi geisiaf eto ganu cân i'th gael di'n ôl, fy ngeneth lân...'

Nag oes. Does 'na ddim cadair siglo ger y tân. Dim bugail. Na mynydd. Na dau oen llywaeth yn y llwyn... Na neb yn ei ddagrau. Eto.

Ffis-ffis. Sws-sws. Tic-toc, twrw'r cloc.

Fydd hi ddim yn bump o'r gloch am byth.

Cyn bo hir, mi fydd hi'n hwyr.

A lle fyddi di? Fydd rhywun ar fai, a'r lleuad ar drai, a'r sêr bach blêr yn mynd yn llai, yn llai...?

Ar bwy rown ni'r bai?

Tic-toc. Tic-toc.

Cloc...

PUW

'Mi gerddodd hi allan, Syr.'

Un o'r rhai calla' oedd hwn. Call tuag ato fo'i hun, beth bynnag. Deryn y stryd. Ac am unwaith mi oedd ei ll'gada fo'n ymateb i'r hyn ddaeth o'i geg o. Doedd o ddim wedi cymryd dim byd. Eto.

'Be' ti'n feddwl 'cerddad allan', Smeilar?' Be' uffar oedd iws i mi ddefnyddio'i enw iawn o, jyst am fod 'na ddau gopar yn ista yno hefo ni? Doedd o na fi – na'i fam o, bellach – yn ei blydi gofio fo, eniwe.

'Jyst mynd, de, Syr. A mynd â'i handbag hefo hi...'

Ond be' ddiawl oedd hynny'n ei brofi? Mi fasai unrhyw athrawes hefo hannar brên yn gofalu'i bod hi'n mynd â'i bag llaw hefo hi – hyd yn oed petae hi ddim ond yn picio i lawr am bisiad. Yn enwedig hefo dosbarth o ladron a drygis fel rhain. Haflug uffar. A fi ydi'r un sy'n eu hamddiffyn nhw ar bwyllgorau addysg. Y difreintiedig. Am ein bod ni angen pres ecstra. I roi cyfle iddyn nhw. Nhw a'u ffycin llau pen. Ond nhw hefyd oedd yno pan aeth Elen Rees. Nhw oedd yno'n cadw reiat. Yn gwneud ati i beidio gwrando. Yn gwneud sglyfath o ddiwrnod yn waeth fyth. A dyma fi'n meddwl: Iesu! Ella mai'r llo lloerig yma oedd un o'r rhai ola' i weld eu hathrawes yn fyw. Es i'n oer. Mi oedd gwefus ucha' hwn yn grachod i gyd.

'Oeddach chi'n camfihafio, Smeilar?' Cwestiwn uffernol o dwp gan brifathro â thin ei drowsus o'n sgleinio. Fel gofyn a oedd yn well gan y Pab gusanu tarmac na chusanu merched.

Mi sbiodd Smeilar arna i a rhyw olwg tebyg i dosturi yn ei lygaid o. Bastad bach. Trois at yr heddwas. Rwbath ifanc oedd hwnnw hefyd. Meddwl ei hun. Wyneb siswrn a sbots.

'Maen nhw'n ddosbarth anodd i'w trin,' medda fi. 'Isio mynadd Job efo nhw.'

Sgwariodd Smeilar. Cymylodd wyneb yr heddwas tra oedd o'n pendroni ynglŷn â phwy uffar oedd Job. Mi ddaeth yr hen adenydd glöyn byw afreolus hynny'n ôl i chwarae'n ddwfn yn 'y mrest i. Isio gyts. Jyst i gerdded allan. Difaru na faswn inna hefo digon o fôls ers talwm i wneud yr un peth. Cyn i'r lle 'ma ddechra'n lladd i, fesul dydd, ddydd ar ôl dydd, clymu 'nhei fi'n dynnach am fy ngwddw i...

'Oes yma rywun y gall eich staff ymddiried ynddo fo – neu hi – os ydyn nhw dan bwysa', felly?'

Cwestiwn rhesymol, Mistar Ditectif Inspector. Yr heddwas fenga'n sbio'n ddeallus. Yn trio dysgu'r mŵfs. Mi gofiais i bod Smeilar yn dal i sefyll yno.

'Iawn, ta,' medda fi wrtho fo. 'Mi gei di fynd.'

Mi sbiodd yn hurt. 'I le?' medda'r llygaid dafad. 'I Uffarn os leci di!' medda fy llygaid inna. Trodd ar ei sawdl. Llusgo'i draed. Abiws, o ddiawl. Mi fasa clustan iawn yn gwneud byd o les i'r uffar bach.

Wedyn dyma fi'n deud wrthyn nhw bod gynnon ni Wil.

'Pwy?' Mi oedd golwg chwyslyd ar y ditectif. Wedi anghofio'i gwestiwn ei hun. Lliw cimychaidd anghynnas arno fo. Pwysa' dy waed ditha yn yr entrychion hefyd, mêt, medda fi wrthyf fy hun.

'Wil Adamson,' medda finna. 'Athro Hŷn. Ato fo bydd pobol yn mynd...'

I lenwi ffurflenni costa' teithio ac adborth ar gyrsia'. Mi feddylion ni am deitl crand iddo fo dair blynedd yn ôl, cyn i'r H.M.I.'s gyrraedd. Pawb yn cael swydd ddisgrifiad ar bapur bryd hynny, hyd yn oed y bidlan blastig oedd Jonsi Bach yn ei defnyddio yn y gwersi Secs – coc mul o beth a rhywun wedi rhoi wyneb iddi hefo inc-am-byth. Ac erbyn i'r Arolwg gyrraedd mi oeddan ninna, fel pob ysgol uwchradd gwerth ei halen, hefo'n Tiwtor Proffesiynol ein hunain.

'Blydi lol wirion!' medda Wil. Ond mi ddaliodd yr uffar ei law am y cyflog ecstra hefyd, a chwyno ei fod o wedi gorfod treulio penwythnos ar gwrs ar draul y golffio a'r lyshio. Ond fasa neb ohonan ni wedi breuddwydio am fynd ato fo am gyngor personol, na fasan? Dim â'i fywyd yntau'n gymaint o lanast. Potal o wisgi? Tebygol. Ffonio'r Samariaid? Ella – ar binsh. Gofyn i Wil? No blydi we, Hosê! Dyna fasa bod yn despret. 'Deth wish'. Ac mi fasa delio hefo problema rhywiol a / neu ariannol rhywun arall yn ddigon amdano fo, yn ôl y strès sydd arno fo.

'Methu cysgu'r nos, 'sti, Puw,' medda fo o hyd. 'Methu côpio.' Methu'i chael hi i fyny chwaith, yn ôl Jonsi Bach. Ers pedwar mis. Wel, mi fasa fo'n ymddiried rwbath felly yn Jonsi, yn basa, achos mai gin hwnnw ma'r llyfra' i gyd. Hen bitsh o wraig sgin Wil hefyd. Rhan fawr o'i broblem o, ddeudwn i. Yr hen jadan drwynsur yn cael ei rasions mewn llefydd eraill, meddan nhw. Clwb y Deillion, ella. Uffar hyll 'di hi ond ma' Wil yn olreit. Hen foi iawn. Yn y bôn. Y job 'ma sy wedi'i neud o'n boring. Mae o'n haeddu dynas dda i roi gwên ar ei bidlan ynta...

'Ella basa hi'n well i ni gael gair hefo Mr Adamson, Syr?' Y boi fenga eto. Cîn. Sbio ar ei fòs tra oedd hwnnw'n sbio ar ei wats. Finna'n gwbod nad oedd waeth iddyn nhw heb â thrafferthu. Gwbod basa Wil isio gneud 'i lond o pan glywai bod 'na ddau gopar isio gair. Es i i chwilio amdano fo fy hun. Gadael Starsky a Hutch hefo dau fygiad o de tramp a phaced o Bengwins.

'Pwy?' medda Wil.

'Elen Rees,' medda finna.

'Y flondan? Ddaru hi ddim mynd adra'n sâl?'

'Ddaru hi ddim mynd adra. Ffwl stop.'

'Be'?'

'Jyst mynd. Cerddad allan. Dim golwg ohoni. Neb 'di'i gweld hi ers bora ddoe.'

'Be' – diflannu, 'lly? Jyst fel'na?'

'Wedi bod yn bihafio'n od, meddan nhw. Tawedog. Pell. Dyna ddeudodd yr hogia' oedd yn y dosbarth...'

'Iesu! Mi gerddodd allan a gadael dosbarth...?'

'Criw Smeilar,' medda fi, fel tasai hynny'n gyfiawnhad dros athrawes yn cymryd y goes. Ac yn ôl y ffordd y cododd aeliau Wil, mi oedd o.

'Be' ma'r cops isio hefo fi ta?'

'Chdi di'r Tiwtor, de? Atab y staffrwm i Claire Rayner. Meddwl oeddan nhw y basa hi wedi ymddiried yn rhywun 'fath â chdi tasa rwbath ar ei meddwl hi...'

Arhosodd aeliau Wil o'r golwg yn ei wallt o. A chyn iddo fo ddechra hefo: Pam na fasat ti 'di deud wrthyn nhw na fasa hi ddim yn breuddwydio gneud y ffasiwn beth, y bastad gwirion! mi ges i flaen ar ei druth o. *nonsense*

'Rhaid gadael iddyn nhw wneud 'u hymholiadau, bydd? Mynd drwy'r mosions. Ac wedi'r cwbwl, mae o'n rhan o dy blydi job di, dydi? Buddiannau'r staff.'

Diffoddodd Wil ei smôc, halio'i drowsus yn uwch, pigo'i drwyn hefo ewin ei fawd.

'Mi geith y papura' fodd i fyw hefo hyn,' meddai. 'TEACHER CRACKS UNDER PRESSURE OF UNRULY CLASS. Mi fedra i'i weld o rŵan. Mêl ar eu bysedd nhw. Plant y lle ma'n gyrru athrawon dros y dibyn. Mi gân 'ffîld dê' myn uffar i!'

Doeddwn i ddim wedi cael cyfle i feddwl am hynny. Ond dyna fo. Mi oedd o'n tipical i ddarllenwr tabloids fel Wil ystyried peth felly. Mi holon nhw'r staff i gyd yn y pen draw. Ac ambell un o'r Chweched Dosbarth. Mi oedd 'na ryw dawelwch rhyfedd dros y lle ar adegau – er na ddaru'r sŵn ddim stopio go iawn. Ond mi oedd llai o su yn sgyrsiau pawb. Mi oedd rhywbeth a ddigwyddai mewn bwletinau newyddion yn digwydd yma, yn eu tynnu nhw, ein tynnu ni i gyd i mewn i'r dirgelwch, i'r dieithrwch 'ma oedd yn dechrau ffurfio'i gwmwl arhosol dros bopeth fel niwlen gemegol nad oedd chwalu arni.

Doeddwn i erioed wedi meddwl rhyw lawer am

Elen Rees. Erioed wedi cael llawer o achos i wneud hynny chwaith. Mi oedd hi'n athrawes reit boblogaidd. Reit gymwys, chwarae teg. Mynd o gwmpas ei phetha'n eitha di-lol. Gŵr. Dau o blant. Dreifio Mondeo. Jyst athrawes. Nid y teip i ddiflannu'n ddisymwth heb ddweud dim wrth neb. Meddyliais am Lŵpi. Hannar-hipi, hannar-llo. Yr athro-arlunydd lloerig a'i wersi Celf o'n llanast o slempio brwshys paent a dadleuon ar gyfreithloni canabis. Rŵan tasa Lŵpi wedi penderfynu cymryd y goes rhyw fora a diflannu fel lein o gôc ar ddrych, fasa neb wedi synnu dim. Ond nid Lŵpi aeth, naci? Mi oedd o'n dal yno hefo ni a'i lygaid o'n soseri disgleiriach nag arfer. Elen druan, medda fo. Pŵr Elen. Disapîrio jyst fel'na!

Na. Doedd 'na ddim teip, nag oedd? Dim rheol. Dim amod. Dim diawl o ddim synnwyr yn y peth i gyd.

Mi oedd Smeilar yn un o'r rhai cynta' i'r iard pan aeth y gloch ola'. 'Sgwyddau main, cap gweu *Umbro* wedi'i dynnu'n isel dros ei dalcen. Roedd ei ymarweddiad o'n barod yn rhyw fath o rybudd: welwch-chi-fi – darpar-fyrglar. Neu waeth. Y trênyrs druta' am ei draed o hefyd. Ond ei fol o'n wag, ei ben o'n wacach, a'i araith o'n aflanach nag un Wil Adamson ei hun ar nos Wenar. Stopiodd yn herfeiddiol jyst tu allan i'r giât a sgrytio'i ysgwyddau i danio smôc. Gwnes inna'r un peth. Llenwi fy meddyliau hefo mwg. Cododd Smeilar ddau fys yn glên ar ddreifar un o'r bysus ysgol cyn diflannu.

Peth rhyfedd ydi o. Gwylio rhywun nes iddyn nhw

fynd yn llwyr o olwg llygad. Mynd yn llai ac yn llai ac yn ddim. Fel ddaru Smeilar. Ond diflannu o'r golwg wnaeth hwnnw. Rowndio'r tro.

Doedd dim amheuaeth ynglŷn â dychweliad Smeilar.

Ac meddai'r Llais o dan y Llen:

Doeddech chi ddim yn cusanu.

Ddim ers tro byd.

Dim gwefus wrth wefus.

Dim byd.

Mi sylwais i.

Mi welais i chdi. Mi dynnaist ti'r llen, Elen Fwyn. Tynnu'r llen dros ddoe am fod ei olau'n brifo. Ac mi driaist ti d'orau i gau'i haerllugrwydd o allan: Ymaith, Orffennol, mae'r cyrn ar dy ben yn rhwygo f'euogrwydd i...!

Cydwybod, ia, Nen? Tynnu'r llen?

Ond mi lithrodd yn ôl atat ti wedyn fel drafft dan ddrws.

Peth fel'na ydi ddoe.

Rhan o'r sioe.

'N dychwelyd fel y Drudwy at ymyl y noe.

Ddoe.

Mi ddoth ddoe i dy nôl di, Nen.

GARI

Ffling oedd hi. Dyna i gyd. Doedd o ddim yn 'big dîl'.
Ond mi gafodd Elen werth ei phres ohono fo i gyd, yn
do? Edliw petha'. Cofio petha'. Pigo crachod a'n
perthynas ni'n dal i waedu...

Mi oedd Liz yn rhywiol fel mae cylchgrawn i
ddynion yn rhywiol. Rhywiol mewn ffordd fendigedig
o goman. Rhywiol amlwg fel y gall merch sy'n
gwisgo'n fengach na'i hoed fod weithia' os oes
ganddi'r coesa' ar ei gyfer o. A chwarae teg, mi oedd
ganddi hi goesa'. Dipyn yn flêr o gwmpas ei thin a'i
bronna' hi'n ymyl bod yn rhy fawr i'w dillad hi edrych
yn berffaith ond, diawl! Mi oedd y pacej hefo'i gilydd
yn ocê. Yn gneud rhwbath i ddyn. A'r gwallt hir
melyn-potal yn help i anghofio am y rhychau o
gwmpas ei ll'gada hi.

Fuo caru Liz erioed yn gwestiwn. Erioed yn
broblem. Nid cariad oedd o. Oedd hi. Jyst ffwc. Ac un
weddol ar hynny. Dim dirgryniadau mawr. Mi oedd
'na lot o ansicrwydd o dan y perocseid a'r chwerthin
cras. Wrth sbio'n ôl mae'n debyg 'mod i wedi bod yn
dipyn o fastad hefo Liz hefyd. Feddyliais i erioed pa
mor fregus y gallai rhywun fel hi fod. Mewn ffordd od

27

roedd hi'n fwy bregus nag Elen. Yn haws i'w niweidio am nad oedd hi'n gwisgo'i theimladau ym mhyllau'i llygaid yn yr un modd. Welais i ddim faint yr oeddwn i'n ei gleisio arni hithau…

Dwi'n cofio deud wrthi bod Elen yn gwybod amdani hi fel mae rhywun yn cofio eitem newyddion; yn cofio teimlo ar wahân i'r digwyddiad i gyd. Hithau'n ateb hefo:

'Ydi hi'n werth i ti godi a mynd adra, ta?'

Yng ngolau bach y lamp mi oedd hi'n edrych bron yn dlws. Ond doedd 'na fawr o dynerwch yn ei llais hi, dim ond rhyw ymarferoldeb fflat. Mi oedd ogla rhyw ar y gwely.

'Dwi'n gwbod na wnei di byth mo 'ngharu i, Gari.'

Mi oedd ei threiddgarwch sydyn yn rhywbeth chwithig ac roedd sylweddoli bryd hynny nad oedd hi erioed wedi disgwyl dim byd gen i wedi fy mwrw i am eiliad. Edrychai'i bronnau hi'n hirach a gwynnach a mwy gwythiennog na ddaru nhw erioed o'r blaen. Trois fy nghefn arni tra oeddwn i'n gwisgo. Trodd hithau ar ei hochr, yn gwneud dim ymdrech i guddio'i noethni, y cyhyrau llac o gwmpas ei bol hi'n difetha llinell ei chorff. Gorweddodd yno. Doedd dim ots rŵan. Mygais yr awydd i dynnu'r dwfe'n gariadus drosti. Hi oedd yn iawn. Yn y noethni digywilydd hwn yr oedd ei hurddas hi i gyd.

'Wela i di, ta.'

'Gweli.'

Mor ffals. Mor ffug. Ystrydeb sâl y cogio-peidio-ffarwelio. Ac mi safodd y geiriau hynny'n rhy hir rhyngon ni, blas ddoe-wedi'i-dreulio arnyn nhw fel gwin wedi suro. Es i adra heb 'molchi, ac roedd hi fel petae'i hunigrwydd hi'n glynu wrtha i hefyd, yn gwthio ffiniau'r cof fel cwyno gwylanod.

Ac Elen oedd ar fy meddwl i wrth i mi ddreifio adra. Elen ers talwm a'r haul yn ei gwallt. Mi ôn i'n meddwl y dôi petha'n iawn. Pan fyddai hi'n gweld 'mod i o ddifri'. Bod popeth drosodd rhwng Liz a fi.

Pan gerddais i mewn mi wenodd arna i. 'Haia-cyw-sut-ddiwrnod-gest-ti?' o wên. Clên. Cynnig gneud panad. Fedrwn i ddim cweit dallt pam bod cyn lleied o densiwn yn perthyn iddi rŵan. Wyddai hi ddim chwaith 'mod i newydd orffen hefo Liz. Liz druan. Ei hogla hi ar 'y nillad i…

'Elen, gwranda – dwi isio… ma' rhaid i ni siarad…'

'Siarad?' Mi oedd tinc o rywbeth diarth yn ei llais hi. Rhyw anghrediniaeth. Siarad? Roedd hi fel petae oferedd hynny newydd ei tharo hi'n sydyn.

'Ia, siarad. Amdanon ni. Chdi a fi… '

'A Liz?'

'Be'?'

'Dwi'n cymryd bod Liz yn rhan o'r darlun hefyd, debyg?' Fel tae hi'n mynnu gwthio'n henwau ni'n ôl at ei gilydd.

'Dwi'm yn dallt…?'

'Chdi a Liz. Isio bod hefo'ch gilydd ydach chi. Dyna oeddat ti isio'i ddeud, ia?' Geiriodd yn bwyllog, ofalus fel pe bai hi'n egluro rhywbeth i ddiniweityn. 'Dwi'n dallt. A mae o'n iawn hefo fi. Cer ati hi.' A gwenodd. 'Ia, cer. Ma' popeth yn iawn.'

Doedd hi ddim wedi bod yn yfed. Roedd ei llais hi'n

rhy wastad. [*steady*] Yn rhy resymegol. Doedd hi ddim hyd yn oed yn bod yn goeglyd. [*sarcastic/spiteful*]

'Ma' petha drosodd, Elen. Rhwng Liz a fi.' Disgwyliais i'w hwyneb hi oleuo. Meddalu ychydig. 'Dwi ddim isio Liz. Chdi... dwi isio chdi...'

Chwalodd cysgod sydyn dros ei thalcen fel crafiad awel dros lyn. [*'scratch'*]

'Dwi ddim yn trio dial arnat ti, Gari.'

'Be'?'

'Dwi jyst ddim yn dy garu di ddim mwy.' Mi oedd ei geiriau hi mor dawel. Mor arswydus o bendant. Fy llinell i oedd honno i fod a rŵan doedd arna i mo'i hisio hi. 'Mond isio Elen ond nid y hi oedd hi erbyn hyn...

'Dwyt ti ddim wedi bod isio 'nghyffwrdd i ers amser maith,' meddai hi wedyn. 'Wel, does arna i ddim isio i ti neud rŵan.' Ac ychwanegodd, yn ymddiheurol bron:

'Dydi hynny ddim – dwyt ti ddim – yn 'y mrifo i bellach, ti'n gweld. Does dim ots gen i rŵan. Dim ots gen i be' wnei di hefo neb.'

Arllwysodd y te. Ei osod o 'mlaen i fel modryb garedig.

'Dwi ddim isio mynd o' ma, Elen...' Ac rôn i'n casáu'r panig a oedd yn bratio fy llais i.

Sgrytiodd ei hysgwyddau. Ystum di-feind. Roedd ei llais hi bron yn dyner.

'Gwna fel fynnot ti.'

Yfais, am fod y geiriau priodol yn gwrthod dod. Am nad oedd geiriau. Roedd y te'n rhy boeth, yn sgaldian fy nhu mewn i, ond ar y tu allan mi oeddwn i'n oer, yn fferru yn sglein ei hyder hi. Roedd Elen, fy ngwraig i, allan o 'nghyrraedd i fel merch mewn llun. Fedrwn i mo'i beio hi, na fedrwn? Am ymddwyn fel hyn. Ond Iesu, mi oedd arna i isio gneud, isio dod â 'nwrn i lawr ar y bwrdd nes bod y llestri'n sernial. Isio deud wrthi am edrych arni hi ei hun, ar y ffordd roedd hithau wedi dechrau cilio yn ystod y misoedd diwetha', troi'i chefn arna i yn y nos... Mi ôn i isio codi fy llais, ond doedd gen i'r un.

'Mi a i i'r gwely yn y stafall gefn,' meddai hi. Pan godais i 'mhen i chwilio am ei llygaid hi, ychwanegodd: 'Dwi 'di symud fy mhethau yno gynnau.'

Mi oedd hi fel petae fy stori i fy hun yn cael ei hail-ysgrifennu o flaen fy llygaid i, fel petae popeth cyfarwydd o 'nghwmpas i – y dodrefn, y llenni, y petheuach i gyd, waliau fy nghartref i fy hun – yn perthyn i rywun arall. Chwiliais yn sŵn ei llais hi am y dialedd. Tinc gorfoleddus talu'r pwyth. Ond doedd 'na ddim byd heblaw difaterwch a hwnnw'n saith gwaeth am iddi geisio gneud iddo swnio'n garedig. Mi fasa pwl o genfigen, o gasineb, ar ei rhan wedi gneud i mi deimlo'n well. Ond ganddi hi oedd y llaw ucha' am deimlo dim. Gêm, set and matsh. A'r eirioni oedd nad oedd hi ddim hyd yn oed yn deisyfu hynny.

'Nos da, ta, Gari.'

Finna isio'i chyffwrdd hi, ei hysgwyd hi, gneud iddi deimlo rhywbeth. Gorfodi fy hun arni: tyrd yma'r bitsh oer achos mai fi ydi dy ŵr di ac mi gei wneud fel dwi'n deud... Ond wnes i ddim, naddo, siŵr Dduw. Achos 'mod i'n ei charu hi ac wedi methu deud wrthi

a rŵan mi wyddwn i 'mod i'n ei cholli hi a doedd 'na
ddiawl o ddim y medrwn i ei wneud. Mi ôn i'n teimlo
fel dyn tlawd yn gwylio'i dân ola'n diffodd.

Ai dyma'r teimlad felly? Cael eich gwrthod gan
rywun yr oeddech chi'n ei garu? Ai dyma'r gwacter, y
panig llwyr? Ai dyma'r siom – lluniau bach llonydd
o'ch bywyd chi'n hercian drwy'ch pen chi fel cyfres o
sleidiau? Clic, clic, rownd â nhw a wynebau pawb
ynddyn nhw'n rhy wyn: haul a heli, hen wragedd a
ffyn, plant a phartïon, canhwyllau ynghyn. Lluniau
bwganod yn cusanu a'r haul arnyn nhw...

Lluniau Elen.

Benfelen.

Wnes i ddim cusanu digon arnat ti tra oedd yr haul
arnon ni...

Cf eingion (anvil)
eidion (ox)

the Deep
Ocean

Ac meddai'r Eigion yn wydrau'i gyd o'r gwyll dan guwch y bont:

cuwch = scowl

Mi ddoist ti, felly?

Er mwyn sbio i lawr? A dyma fi, yma o hyd. Ti isio dod ata i...?

Sut deimlad ydi o rŵan, ta, Nen? Lluniau'r dyfnderoedd yn ddu yn dy ben...

Ust! Glywi di?

Gorfoledd y dŵr yn dwad – oddi tanat...o! – o! – o! – a'r nos

yn sugno pob ochenaid dlos.

Ddoi di, ta?

I'r gwely ata i?

33

I olchi dy wewyr yn lân yn y lli?

Ddoi di i 'ngwely i, Nen?

SAL

Dwi'n cael dyddiau go lew. Dyddiau pan fedra i ddioddef yn weddol. Arafu'r tabledi rhyw fymryn. Mi fydda i'n gofyn iddyn nhw rowlio'r teledu i mewn i mi wedyn. Maen nhw'n dda hefo fi, chwarae teg. Yn gwneud be' fedran nhw. A mae hi'n braf pan fydd yr haul yn dwad rownd at y ffenest 'ma ganol y pnawn. Braf cael panad boeth, gryf a theimlo'r pigiad yn dechra gweithio arna i. Twymo 'ngwythiennau i. Fiw i mi gael gormod ar y tro, meddan nhw. Mi fasa'n codi i 'mhen i! 'Fath â'r llafnau haerllug 'ma sy'n chwistrellu heroin ar gorneli strydoedd! Ond diawl, fasa dim ots gen i hynny chwaith am wn i. Rhyw 'drip' dros dro i rywle lle baswn i'n ysgafnu fel pluen ar awel fain. Lle basa 'na liwia. Dim poen. Ond dim ond pan ma' petha'n wirioneddol ddrwg fydda i'n meddwl am hynny hefyd. Am esgyn. Fyny fry. Am ddiwedd petha. Ond ar ddiwrnod fel heddiw dwi fel taswn i'n meiddio ailfeddwl. Gwthio hynny draw am dipyn. Dal fy ngafael am sbel fach eto. Peth rhyfedd ydi o. Y ffin rhwng fan'ma ac i fyny fan acw. Does 'na neb call isio marw cyn pryd.

'Ylwch, mi gaea' i'r hen gyrtan 'ma, Sarah Parry.

Rhag yr hen haul 'ma! Welwch chi ddim byd ar sgrîn y teli fel arall...!'

'Naci! Gadwch lonydd iddo fo ddwad i mewn, 'mechan i...!'

Nyrs fach glên ydi hon. Ac yn dallt. Mae o'n fwy na dim ond y trêning maen nhw'n ei gael. Mae o ynddi hi'n reddfol. Dallt pobol. Rwbath prin.

'Ocê!' Mae hi'n gwenu. Codi'i hysgwyddau a gwenu gwên ddoniol. Mae hi'n berwi hefo'r geiriau bach digri' 'ma. Ocê. Mega. Swpyr-dwpyr. Ma' hi'n ddigri' i gyd. Awel iach o ferch. Ac wrthi'n siarad eto: 'Steddfod, Misus Parry bach! Jyst y rhaglen i chi rŵan... Pigion y dydd o Fro-Rhywle-Neu'i-Gilydd...!'

Dydi peth fel hyn ddim at ddant pawb. Ddim bellach. Ddim hyd yn oed i'r ferch ffres ei meddwl hon sy'n dallt pobol. Ond mae hi'n mynd ac yn rhoi ennyd o lonydd i mi a rhoi'r bocs 'remôt contrôl' felltith 'ma yn fy llaw i! Ac mae o'n felltith. Rydw i'n pwyso dau fotwm hefo'i gilydd pob gafael ac yn cawlio petha o hyd. Waeth befo rŵan chwaith. Fydda i ddim isio newid stesion am dipyn.

Del ydyn nhw. 'Rhen blant. Yn adrodd a chanu'n ddigon o sioe. Braf gweld nad ydi pob dim wedi mynd yn rhy hen-ffasiwn ganddyn nhw'r dyddiau hyn. Braf gwrando. Cofio. Biti na fasa na delifision fel hyn pan fydda'r fechan 'cw a finna'n mela hefo'r adrodd ers talwm...

Elen. Mi oedd gen i feddwl y byd yn grwn o fy Elen benfelen...

'Paid â stopio ar y gair 'na eto,' medda fi wrthi. 'Ti'n

36

dal i'w neud o. Oedi'n 'run lle o hyd! Caria fo yn ei flaen i'r llinell nesa...'

Adroddrag fach daclus oedd hi. Yn cymryd ei dysgu'n dda. Dim sterics, dim pwdu. Yn dallt yn reddfol lle i bwyllo a lle i beidio. Ac yn beth fach ddel. Fel angal ar ben llwyfan. Mi gerddais i lot o 'steddfoda hefo hi. Faint fasa'i hoed hi'r adag honno? Wyth? Naw, efallai. Ac yn ennill. O, Duw, oedd. Mi oedd hi'n dod i'r brig o hyd a phawb yn dotio. 'Mechan fach i. 'Ia, Tad,' fyddwn i'n ddeud wrthyn nhw, 'Elen 'di hon. Hogan 'y mrawd.' Finna mor browd ohoni. Fel tasa hi'n ferch i mi. Dyna faint o feddwl oedd gen i ohoni. Mi fagais i lot arni. Hithau'n un o bedwar. Cael fawr o sylw ganddyn nhw adra. Nid 'mod i'n gweld bai. Mi oedd gin Ceinwen ddigon i'w neud, chwara teg, rhwng ei gwaith gwnïo a phopeth. Na, nid gweld bai ydw i. Hollol groes, tasa hi'n mynd i hynny. Mi ôn i wrth 'y modd, yn doeddwn, cael y fechan ata i. Mi fyddai'n aros y nos yn aml. Ninna'n cael miloedd o sbort. Ar ein traed yn hwyr yn sglaffio bisgedi siocled a ballu! Yr hen dŷ 'cw'n deffro i gyd pan fyddai hi ynddo fo. Peth mor fach yn llenwi lle mor fawr. Mor wag... Do, mi lenwodd Elen y lle gwag yn 'y nghalon i. Yn 'y nghroth i...

Ydi, ma' colli plentyn yn styrbio rhywun. Tu mewn. A na, nid jyst i lawr yn fan'na dwi'n feddwl. Nid jyst be' ma' rhywun yn gorfod ei weld, ei deimlo, ei lanhau... Nid jyst bod 'na lot fawr o waed a... ballu. Fel lladd mochyn. Na, nid jyst hynny. Mi ydach chi fel tasech chi'n galaru dros rywun na ddaru chi mo'i nabod. Mo'i weld hyd yn oed... dim ond yn eich meddwl. Efallai. Peth chwithig ydi o. Rhyw damaid ohonoch chi wedi mynd am byth. Rhwbath oedd yn sownd tu mewn i chi a chitha'n gwbod o'r dechra ei fod o yno heb i neb arall ddeud, ynoch chi, yn gafael yn dynn, yn dechra lecio'i le fel hadyn mewn lle cynnas. Ond dydi o ddim fel coes neu fraich neu lygad. Ddim yn rhywbeth gweladwy a phawb yn deud 'Bechod!' am eu bod nhw'n synhwyro pa mor anodd fasai trio dygymod heb un o'r rheiny.

Cofiwch chi, mi ddaru nhw ddeud 'Bechod'. Ar y dechrau. Deud y peth iawn ar y pryd am bod cydymdeimlo yn gwrtais, ddisgwyliedig. Y peth gwâr iddyn nhw ei wneud. Chwiorydd yn y ffydd a'r helclecs yn niwlio o'u cwmpas fel y stêm oddi ar eu paneidiau nhw. Mi ddaw hi drosto fo, meddan nhw. Ma' hi'n ddigon ifanc. Mi geith drio eto. Dim problem, gneud babi. Digwydd i sawl un yn y tri mis cynta. Colli. Dim iws hel meddyliau. Ffordd natur o wneud petha...

Ma' ffordd natur o neud petha'n peri dryswch i mi. Pawb drosto'i hun. Y gwytnaf yn goroesi. A doeddwn i ddim yn wydn. Mi oedd natur wedi 'nhargedu i dro ar ôl tro.

'Fedra i mo'i gymryd o eto, Huw.'

Y gegin yn tician hefo'r gyda'r nos cynnar, cysgodion fel pryfed ola'r haf yn dod i'r tŷ i farw. Chododd o mo'i ben o'i bapur, ond mi glywodd yn iawn. A dallt. Dim ond ei fod o'n cymryd arno iddo beidio.

Ysgwydodd ei bapur. Hen disiad piwis o sŵn, a pharhau i ddarllen. Mi oedd gweddillion y diwrnod hwnnw mor brydferth, yn glynu'n ddewr wrth wydr y ffenest. Roeddwn i wedi erthylu bedair gwaith. Galaru *miscarrie* bedair gwaith. Dwi'n cofio sbio arno fo. Ar ei ddedwyddwch pathetig o. Ar ei siâp cyfarwydd, bodlon yn llenwi'r gadair. Cadair freichiau gysurus, gyfforddus. Ei gadair o. Gŵr y tŷ'n gysurus yn ei gadair ei hun. Ydw, dwi'n cofio sbio arno fo. Sbio'n hir. Syllu. Fynta'n eistedd yno yn nhraed ei sanau a'r dydd yn edwino tu allan heb iddo sylwi pa mor hardd y gallai symlrwydd hynny fod. Ond welodd o ddim. Welodd o mo 'ngofid i chwaith. Doedd o ddim fel petae o'n ymwybodol o ddim byd mwy na'r siomedigaeth arferol. A'r llanast. Ond mi oedd 'na rywun yn llnau hwnnw, yn doedd? Tacluso popeth. Er mwyn iddo fo gael dod yn ei ôl yna. Chwilio am ei gysur fel petae'n ei sodro'i hun rhwng breichiau'i hoff gadair: Tyrd rŵan, Sali fach – da'r hogan. Dyna chdi... dipyn o fwytha... helpu'n gilydd, te, Sal – ia, fel'na – tro drosodd... rŵan gwna fo fel hyn...

Mi gaeais i 'nghalon rhagddo. Yn ara' bach. Nid fy nghorff i'n unig oedd yn cilio. Fedrwn i ddim byw yn fy nghroen pan oedd o'n fy nghyffwrdd i... Ar neithiwr ma'r bai am hyn. Am yr holl gnoi cil dros stori ddoe. Neithiwr, pan ddaeth Elen...

'Misus Parry – ych tabled chi, del...'

Amser cymryd honno'n barod. Y bilsen fach wen. Chofiais i ddim amdani. Hynny'n beth braf weithiau. *torture* Cael anghofio'r hen aflwydd 'ma am awran neu ddwy am ei fod o wedi cymryd hoe i anghofio amdana i.

'Mi oeddach chi wedi pendwmpian cysgu rŵan, yn

doeddach? Mi ddeudish i y basa'r hen haul 'ma'n ych dallu chi...!'

Ond peth fel'na ydi hel meddyliau. Ma' isio bod ar eich pen eich hun, cau'ch ll'gada'n dynn er mwyn i chi fedru gweld eu lliwiau nhw. Mae'r nyrs wedi troi sain y teledu'n is fel bod sŵn y lleisiau'n pellhau, sŵn y plant...

'Athrawes oeddech chitha'n te, Misus Parry – Sarah?'

Dwi'n falch ei bod hi wedi mentro. Enwa' cynta'. Ma' hi fel taswn i'n dyheu o hyd am betha bach fel hyn i 'nhynnu fi'n nes at bobol, rŵan 'mod i'n mynd i banic... yn cyfri'r misoedd yn ddistaw bach, ond yn gwrthod cyfaddef hynny, hyd yn oed wrthyf i fy hun. Yn gwrthod cyfaddef 'mod i fel taswn i'n crafangu i ddal fy ngafael ar ymyl dibyn, yn teimlo'r pridd yn wlyb, yn dew dan 'y ngwinadd i, a finna'n llithro...

'Sal ma' pawb yn fy ngalw i.' Isio mynd yn nes fyth ati hi, at ei hieuenctid hi, y bywyd sy'n byrlymu ohoni...

'Sal amdani felly!' Sŵn ei llais hi'n dod â fi'n ôl, yn brathu sodlau'r atgofion sy wedi bod yn cylchu'i gilydd yn 'y mhen i. A wedyn dyma hi'n gofyn: 'Sal, lle ma'r botal *Tamoxifen*?' Y pils bach sydd i fod i luchio'r llwch i lygaid yr hen beth 'ma. Arafu'i gamau o. Y botel fach frown. Maen nhw'n gadael i mi gadw honno yn y drôr.

'Ydach chi wedi'u symud nhw?'

Na, does gen i ddim cof o wneud hynny. Ac eto – wn i ddim... Mi ydan ni'n chwilio a chwalu am yn hir ond mynd sy raid iddi i chwilio am bresgripsiwn arall.

Finna'n deud celwydd golau, mai dim ond rhyw ddwy oedd yn weddill beth bynnag. Mae hynny, rhywsut, yn gwneud yr helbul yn llai. Ond mi oedd y botel yn llawn. Bron iawn. A fu neb ar ei chyfyl hi, i mi fod yn gwybod. Fu neb yn y drôr. Heblaw am Elen, pan fuo hi yma neithiwr. Hi oedd yr unig un, wrth iddi estyn lluniau-ers-talwm er mwyn i ni gael sbio arnyn nhw hefo'n gilydd... Braf. Mi ges i floda' hyfryd ganddi hi, a photal o sudd afal hefo bybls ynddo fo.

Na. Dim ond Elen fu yn y drôr. Elen benfelen sy'n werth y byd. I be, neno'r Tad, fasa Elen isio dwyn potelaid o dabledi?

A rŵan mae'r nyrs yn ei hôl â'i gwynt yn ei dwrn. Ond mae hi'n dal i wenu. Dwi isio deud rhwbath i godi'i chalon hithau.

'Mi gewch chi'ch noswyl toc.'

Pefrio mae hi. 'Ma' gin i ddêt heno!'

Sentio, pincio, pinnau mân o gyffro'n pigo. Mae meddwl am hynny i gyd fel agor drôr dillad-isa' a gollwng arogleuon y sebon lafant sy'n nythu yn y les. Pincio, pefrio, neb rhy hen i gofio...

'Braf arnach chi. Ydi o'n bishyn?'

Mae hi'n edrych arna i, ei swildod sydyn yn goleuo'i bochau hi'n dlysach nag unrhyw golur.

'Ydi, Sal. Ydi mae o! Uffar o bishyn!' A dyna pryd mae hithau'n fy ngweld innau go iawn. Gweld 'mod i'n dallt, 'mod i isio pefrio drosti rhyw fymryn bach bach. Rhannu pwt o'i heddiw hi er mwyn ailflasu ddoe. Fy nghofio fy hun yn ddel ac yn fain. Cofio Tommy...

Dwi'n gofyn iddi rowlio'r teledu oddi yno ar ei

ffordd allan. Mae hi'n gwneud, a daw'r lle gwag cyfarwydd rhwng y drws a'r ffenest yn ôl. Y wal wen lle daw'r tywyllwch i grogi bob nos fesul cysgod fel 'stlumod yn heidio. Y nos ydi'r amser gwaetha'. Yn enwedig yn y fan hyn. Fedrwch chi ddim codi yn y nos i wneud panad yn y fan hyn, agor cil drws y cefn, ffroeni'r distawrwydd, yr oriau mân yn deor a'r düwch yn ymyl hollti.

Na, fedrwch chi ddim gwneud petha felly yn y fan hyn.

Ac meddai Haul Mehefin tra'n ennill ei blwy' trwy'r craciau-blew-cath mewn awyr-plisgyn-ŵy: *eggshell*

Fi ddoth atat ti. Twymo dy gefn di tra oedd dy feddwl di'n troi. Nunlle i ffoi, nag oedd, Nen? Dim ond i'r lle y bydd plant y dre'n dod hefo'u beics am ei bod hi'n saffach na'r stryd. Doedd 'na le'n byd tlysach o fewn dy gyrraedd di'r noson hon. Gyda'r nos cynnar a'r haf wedi dod i bryfocio'r dre. Mi oedd 'na goed, meinciau pren, clystyrau o chwyn deiliog yn dod i flodau. Fel petae natur wedi picio yma ar frys. Tithau'n eistedd. Rhoi cyfle i mi. O, mi eisteddaist yn hir a 'nheimlo fi'n gynnes arnat. Do bach – do bach – mi arhosaist am fwythau a chreithiau bach yr awel yn tynnu drwy'u pwythau... *dainties or kisses (FWYTHAU)*

I'r fan hyn y daw'r afon bob dydd. Afon â sbwriel ynddi. Yr afon yn ei dillad gwaith yn sliwanu heibio cefnau'r ffatrïoedd lle mae'r ogla drwg. Mi glywais inna frefu'r ŵyn o'r lladd-dy cyfagos yn gymysg ag ogla gwaed ac mi gaeaist dy lygaid a 'nheimlo fi'n cwpanu dy synhwyrau di i gyd... Mi glywson ni'n dau dwrw'r adar, yn do? Nhwtha'n cymryd arnyn hefyd. Llacio tannau'u gyddfau'n ddewr am fy mod i yno'n denu'r morgrug o dan gerrig mân y llwybr, yn ceisio *atgoffa popeth, yn yr esgus 'ma o le braf, bod y tymhorau'n ffeirio lle. Ac mi oedd fan hufen iâ'n cario'r ha' o ben ucha'r dre: nodau-allan-o-dùn, fel miwsig Sioe Bach, yn gwneud i ti feddwl am focs cadw mwclis oedd yn canu pan oedd y caead yn agor. Yn canu hwiangerddi rhad a'r falerina fach yn troi...*

Fel dy feddwl di.

Cryf?

Ynteu gwan?

Pob adduned yn boddi yn ymyl y lan...

Do, mi ddoist tithau i ben eitha' dy dennyn ~~tether~~

a wedyn...

Beth wedyn?

A'th waed yn oer fel gwlith ar redyn

est ati.

A gofyn.

LIZ

Mi oedd 'na lipstic hyd y cynfasau. Rheiny hyd y llawr yn glymau. A'r stafell wely'n flêr, yn feiddgar o flêr, fel petae hogan fach wedi bod yn tynnu llanast wrth chwarae yn nillad ei mam. Dyna lle'r oedd y cyfan, lle bu'n chwarae ni – y sanau duon, yn llipa rŵan, fel petae dwy neidr wedi bwrw'u plisgyn a diflannu. A'r sgidia stileto 'na, rheiny oedd o'n eu deisyfu o hyd, yn sgleinio'u hyfdra o ganol y cwbwl. Chwilod pigfain o sgidia...

Fuo 'na 'rioed drafod ar y dyfodol. Ein dyfodol ni. Doedd 'na'r un i fod. Rhyw drefniant hwylus oedd y peth 'ma rhwng Gari a fi. Rwbath handi. A doedd gen i ddim cymhlethdodau, nag oedd? Mi ôn i yna iddo fo. Ar gael. Cyfleus. Rhyw ffwc-antur lle'r oedd o'n cael gollwng stêm, byw ambell i ffantasi tu ôl i ddrysau caeëdig a mynd adra wedyn at ogla'i swper a sŵn ei blant a'r twyll yn brifo dim ar neb. O achos nad oedd o'n golygu dim, nag oedd? Neu dyna fyddai Gari'n ei ddeud yn ddigon aml. Mor aml nes 'mod inna'n credu. Pa les oedd cymhlethu petha hefo teimladau? Petha blêr oedd rheiny. Mynd â chi i bob man. Na. Cadw petha'n syml. Dyna ddeudodd o. A finna'n

45

cytuno. O achos bod teimlo gwres tynn ei gorff yn ludiog yn erbyn fy nghroen yn fy nghynnal i'n fwy nag yr oeddwn i'n fodlon ei gyfaddef. Pwysau'i freichiau, ei goesau. Ei wlybaniaeth o ynof fi, arna i, yn fy ngwneud i'n perthyn iddo fo dim ond am ychydig. A phan oedd o'n gweiddi allan, yn rhyddhau'i ochneidiau i 'ngwacter i, mi waeddais inna'r un pryd, amseru fy ngorfoledd fel bod y cyfan yn digwydd yn y llefydd iawn. Ei blesio fo. Mi oedd o'n lecio hynny. Y dwad hefo'n gilydd. Maen nhw i gyd yn lecio hynny. Yn mwynhau'r deyrnged. Y cyd-ochneidio. A doedd dim rhaid iddo fo wybod 'mod i'n ffugio fy mhleser. Ei ddifyrrwch o oedd yn bwysig. Er mwyn ei gadw fo yno. Er mwyn caethiwo'i wres o yn fy ngwely am ryw ychydig eto. Ac eto. Ac eto.

Mi faswn inna wedi lecio teimlo rhywbeth. Rhywbeth mwy na chysur ei symudiadau tu mewn i mi. Mi oedd hi fel tasai'r llawdriniaeth honno wedi lladd mwy na'r tyfiant. Tynnu'r fam. Codi'r groth fel codi taten. Glân. Gadael lle gwag. Lle hwylus o wag. Ynte, Gari? Tywyllwch llaith fel diwedd y byd a finna'n hiraethu...

Wnes i ddim hiraethu ar ôl Gari. Ddim go iawn. Wedi'r cyfan, chefais i 'rioed mohono fo'n llwyr. Mo'i galon o. Doeddwn i ddim hyd yn oed yn siŵr erbyn hynny a fyddwn i wedi dymuno cael honno. Mi ges i ymhyfrydu eto mewn bod yn hunanol. Liz yn cael meddwl am Liz. Cael bod yn ddi-hid o'r blerwch yn fy nhŷ. Cael anghofio prynu gwin. Cael peidio gorfod coluro a phersawru a gwisgo'n ofalus dim ond er mwyn awr neu ddwy lle nad oedd neb arall ond y fo i werthfawrogi f'ymdrechion i. Cael yfed jin yn fy slipars a gadael i'r blew rhwng fy nghoesau dyfu'n ôl...

Mi oedd ei llais hi dros y ffôn mor wastad. Mor annisgwyl. Llais Elen. Bron yn glên. Isio 'nghyfarfod i. Swniai'n fwy ffug-swyddogol na bygythiol, fel llais un o'r merched 'na sy'n gwerthu gwydrau dwbwl. Llyfn a phenderfynol. 'Helo, Elen sy'n siarad...'

Am banad aethon ni. Guiseppe's, yn y Stryd Fawr. Guiseppe Cymraeg yn cogio bod yn Sais. Rhyw ffug-Guiseppe, mewn cardigan flêr a blew yn tyfu o'i drwyn o. Ac mi oedd hi'n banad uffernol. Llugoer. Gormod o lefrith.

'Jyst isio i chi wybod, Liz, na wna i ddim sefyll yn eich ffordd chi.'

'Be'...?'

'Gneud petha'n anodd. I Gari a chi. Mi gewch chi Gari.'

Fel tasai hi'n cynnig gweddillion ei phryd bwyd i rywun oedd yn rhy falch i gyfaddef ei fod o'n llwgu. Dowch. Estynnwch ato fo. Dwi 'di cael digon ers meitin...

Ond nid coegni oedd o, naci? Nid isio dial oedd hi – arno fo, arna i. Mi faswn i wedi medru deall hynny. Hi gafodd ei thwyllo. Roedd hi eisoes wedi gwneud i mi anesmwytho wrth brynu panad i mi, gwenu, ymdrechu. Roeddwn i wedi bod ar fai'n dod i'w chyfarfod hi fel hyn. Doedd neb wedi 'ngorfodi i, nag oedd? Ac eto...

'Dwi wedi deud wrtho fynta hefyd. Deud wrtho fo

47

'mod i'n dallt. Yn enwedig os 'dach chi'n caru'ch gilydd...'

'Dydan ni ddim!' Mi oedd fy malchder i'n dipia mân ond doedd fiw iddi hi weld hynny. Cododd ei llygaid yn araf a'u hoelio ar fy rhai i.

'Ydach chitha'n trio deud hefyd nad oedd yr affêr 'ma'n golygu dim?'

Fedrwn i ddim ateb. Roedd y geiriau'n deilchion yn fy nghorn gwddw i. Sut fedrwn i ddeud: Na, doedd o'n golygu dim am nad oedd Gari f'isio i fel roedd arna i ei isio fo. Sut fedrwn i ddeud: Na, doedd o'n golygu dim am na fedrwch chi ddim pwyso botwm a gorfodi rhywun i'ch caru chi'n ôl. Felly mi eisteddais yn fud a gwylio'r llaeth yn croeni ar wyneb fy nghoffi.

'Ffling ddeudodd o,' meddai Elen wedyn. 'Dim ond ffling fach.' Roedd fy nhawedogrwydd wedi ategu'i hamheuon hi i gyd. 'Ac i feddwl 'mod i wedi mynd drwy hyn i gyd dim ond er mwyn i chi'ch dau gael ffling!' Gwasgodd y gair ola' rhwng ei dannedd fel petae blas drwg arno fo.

Doedd neb arall yn y caffi tywyll 'na, ar wahân i Guiseppe nad oedd o'n Guiseppe yn darllen ei bapur ac yn cymryd arno nad oedd o'n gwrando ar ein sgwrs ni. Mi oedd 'na fiwsig Eidalaidd yn cael ei wasgu o rywle, llais rhyw denor rhad a hwnnw'n fflat a phruddglwyfus fel petae o wedi'i gaethiwo mewn tùn. Mi oedd y cyfan mor facabr a ffug, yn cnoi'r distawrwydd fel cyllell ddanheddog. Edrychodd Elen arna i'n gyhuddgar.

'Braf arnach chi,' meddai. 'Braf ar Gari a chi. Ar bobol fel chi...yn gallu cerdded oddi wrth... bethau...'

48

Finna isio'i chywiro hi. Isio deud – na, isio gweiddi allan: Gari aeth. Gari gerddodd i ffwrdd...

Ond wnes i ddim, naddo? Fi oedd yr un brofiadol. Fi oedd yn gyfarwydd â'r nos, ag ogla jin yn y tywyllwch. Â gwacter. Ac mi gedwais fy ngafael ar yr urddas chwithig hwnnw nes bod o'n brifo, yn fudur ac yn boenus fel pridd dan ewinedd. Ac er na chodais i fy llygaid, gwyddwn ei bod hi'n edrych arna i pan ddywedodd hi:

'Petha' creulon 'di teimlada'. Ma' nhw'n gryfach na rhywun, yn chwyddo, yn cymryd drosodd – pan 'dach chi'n caru dyn...'

Mi wyddwn i nad oedd hi'n fy mrifo i'n fwriadol. Mi wyddwn i hefyd nad am Gari yr oedd hi'n sôn. Nid ei chariad tuag at ei gŵr anffyddlon a ddaeth â hi yno'r diwrnod hwnnw i'r twll din caffi taci 'na. Ond mi oedd 'na rywun. Mi oedd o yno, yn ei llygaid hi, yn tynnu dagrau i'm llygaid inna. Ac roedd yr hyn yr oedd hi newydd ei ofyn i mi'n trydanu'r gofod rhyngon ni: cymra 'ngŵr cyfreithlon i oddi arna i, rhyddha fi, i mi gael caru go iawn... Mae'n debyg y gallwn i fod wedi delio â'r cyfan yn well pe bai hi'n ymosodol, yn haerllug. Ond nid haerllugrwydd mo hyn. Nid gofyn yn bowld. Mi oedd ei llygaid hi'n fawr ac yn bell. Llynnoedd o lygaid. Mi allech fod wedi boddi'ch gofidiau ynddyn nhw...

Cododd ar ei thraed yn sydyn nes bod ei chadair yn rhincian yn erbyn y llawr teils. Yn crafu dros danbeidrwydd-gwneud y tenor tûn. Yn fy ngwneud i'n boenus o ymwybodol o fy mudandod fy hun.

false ardour
artificial

'Sori,' meddai hi. Annisgwyl. Di-angen. 'Syniad
lloerig oedd o, eniwe...'

A dyna oedd mor ddiawledig o chwerthinllyd o
ddychrynllyd o drist. Ynfydrwydd petha'. Hyn i gyd.

Y hi yn ymddiheuro i mi.

Tra oedd y tenor yn trydar ei hiraeth o berfedd y
peiriant casét. Yn canu am garu a cholli. Am dorcalon.

Be' wyddai hwnnw?

Ac mi drodd Guiseppe dudalennau'i racsyn papur
nes cyrraedd llun y ferch fronnoeth, a glafoerio.

Ac meddai'r Fflachiadau yn ffenest y ffôn:

☑ MAIL
FROM: 08898 426502

HIRAETHU! ISIO TI!
XXX ISIO FORY! X X X

SENT MESSAGE
☑

A FINNA! GARU DI.
XXX O.

☑ MAIL
FROM: 08898 426502

BRYSIA ADRA, PISHYN!
XXX

```
╭─────────────────────────────────╮
│         SENT MESSAGE            │
│            [✔]                  │
│                                 │
│ NÔL FORY, NEN. TI'N BOPETH      │
│        I MI.XXX O.              │
╰─────────────────────────────────╯
```

```
╭─────────────────────────────────╮
│        [✔] MAIL                 │
│                                 │
│        NEW MESSAGE              │
│        READ NOW?               │
╰─────────────────────────────────╯
```

[YES]

```
╭─────────────────────────────────╮
│  FROM: 08898 426502             │
│                                 │
│  CYSYLLTA. LLE WYT TI?          │
│  GARU GARU GARU DI…             │
╰─────────────────────────────────╯
```

VIV

Cessna Citation. Dwy injan. Dau bropelar. Cario chwech ar y mwya' ac yn rowlio fel basgiad yn y tisiad lleia' o wynt. Fasan nhw byth wedi 'nghael i iddi, 'Werddon neu beidio. Mi faswn i wedi rhwyfo i'r blydi lle cyn fflïo yn honna. Ond doedd dim isio i mi boeni, nag oedd? Ow gafodd y job 'Werddon, de? Cofio deud wrtho fo'r bora hwnnw:

'Chaet ti byth mohona i yn un o'r rheina, mêt!'

Fynta'n chwerthin a gneud rhyw blydi stumia-cachu'n-drowsus wedyn. Yr uffar yn gwbod yn iawn, yn doedd, bod uchder yn gneud i mi droi fy lliw. Paragleidio a rhyw giamocs felly oedd ei betha' fo. Gneud neidiau bynji ac ati i godi pres at achosion da. Ac i wneud gorchest, siŵr Dduw! 'Sbïwch-arna-i!' Dyna arwyddair yr hen Ow, de? Felly doedd taith sgytiog mewn Cessna o Landwrog i Galway'n ddim byd iddo fo, nag oedd?

'Dos, ta – a gobeithio cei di gêl ffôrs ten, yr Acsion Man uffar!' medda finna.

Fynta'n troi ata i a chodi dau fys yn frawdol cyn 'i sgwario hi am y car.

Dyna'r tro ola' i mi siarad hefo fo. Cyn iddo fo'i

chychwyn hi am 'Werddon yn yr awyren fach gachu
'na. Awyren fach gachu mewn damwain fach gachu.
Chododd hi ddim oddi ar y ddaear yn iawn. Hen
ddamwain anarwrol dda-i-ddim. Fasa waeth iddo fo
fod wedi'i ladd mewn damwain car ddim.

Dwi'n cofio teimlo dim pan ddywedon nhw wrtha i.
Mi arhosodd eu geiria' nhw ar y tu allan, fel dŵr oer
yn diferu i badell ffrïo fudur. Doedden nhw ddim yn
fy nghyrraedd i achos 'mod i'n dewis eu hanwybyddu
nhw, yn gadael iddyn nhw grafu tu allan i f'ymwybod
i, a finna'n hesb. *dried up*

'Ddaru o ddim hyd yn oed cyrraedd 'Werddon,
felly?' medda fi'n llipa. Nhwtha'n caniatáu'r cwestiyn-
au hurt heb ddeud dim o achos mai fi oedd ei fêt o. Fi *stupid*
oedd yn ei nabod o. Fo a Mari. A'r plant. O, Arglwydd
Iesu, y plant. Alun a Ffion yn amddifad o dad a
finna'n ista fel sombi yn nhawch glas fy mwg sigarét i
fy hun. *tawch (fog, haze)*

Fi aeth i ddeud wrth Mari.

Mi fasa'n well gen i pe bawn i wedi cael mynd ar fy
mhen fy hun. Ond job oedd hi, de, dim ond fy mod i
wedi mynnu cael gneud hon. Rheolau oedd rheolau.
Hyd yn oed yn achos ffrindiau. Mi es i â Christine
hefo fi. Rêl plismones. Wedi'i geni i'r job. Traed mawr.
Tits bach. Di-lol a'r un mor ddi-ryw. Hyd yn oed
mewn sanau duon. Ond hen hogan iawn. Gwbod
pryd i fod yn ddistaw, pryd i beidio malu cachu. Mi
oedd hi bron fel cael cwmni dyn.

Mi wyddai Mari'n syth. O'r munud yr agorodd hi'r
drws a'n gweld ni'n sefyll yno. Mae gweld yr heddlu
ar stepan y drws yn sobri pawb. Hyd yn oed pan fo un

ohonyn nhw'n ffrind personol. Yn enwedig pan fo un
ohonyn nhw'n ffrind personol. Mi oedd hi fel petae *thumb print*
cysgod crwn, fel ôl_bawd, ar draws ei hwyneb hi'n
unig. Roedd arogleuon y tŷ tu cefn iddi, arogleuon
pryd bwyd ar gyfer rhywun na fyddai'n dod adra.
Pryd bwyd i'r plant. Doedd dim modd dileu hynny,
nag oedd? Ogla'r blydi bwyd 'ma. Ogla da'n llenwi'r
lle. Ac mi oedd Mari'n un dda am bryd. Dechreuais
gofio'r holl swpera, yr holl groeso, Owain a Mari, Siw
a fi. Nes aeth petha'n flerach, yn bellach, rhwng y
ddau ohonyn nhw. Ac eto...

'Be' ddigwyddodd, ta?' Fflat. Diddagrau. Mari'n
dygymod. Fel erioed. *agree or put up with*

'Y Cessna... chododd hi ddim... neb cweit yn
dallt...' *clumsy*

Finna'n cloffi rhwng fy esboniad clogyrnaidd,
diddeall fy hun a'r chwithdod o fod yma, yn ei gartra
fo, yn ogla'r bwyd na fasa fo ddim yn ei fwyta...

'Gymri di banad, Viv?' Fel tasai'r blismones ddim
yno. Ond deallodd Christine, chwarae teg iddi. Dyna'i
chiw hi i fynd i'r gegin i chwilio. Dyna'r rhan
anysgrifenedig o'i swydd hi – cael hyd i daclau gneud
panad yn nhai pobol oedd wedi cael profedigaeth.
Ymhen tipyn roedd 'na dincial cwpanau a llwyau te a
thecell yn dechrau anadlu'n herciog. Yr hen Chris
ddibynadwy, ddi-ffrils yn creu synau saff i'n suo ni.

'Pryd wyt ti'n mynd i grio, ta, Mari fach?'

Mi edrychodd arna i fel petae'r gwir yn glefyd hyll,
angeuol nad oedd fiw ei grybwyll. Gwyddai na fedrwn
i mo'i helpu hi. Roedd hi fel petawn i'n ddoctor a
wyddai'n iawn beth oedd yn bod, dim ond bod y

tabledi wedi gorffen i gyd. Doedd gen i ddim i'w gynnig iddi. Llais Mari oedd y distawrwydd wedyn: eisoes wedi colli, wedi galaru, wedi crio – amser maith yn ôl...

'Ti'n gwbod pwy ydi hi, ta, Viv?'

'Pwy?'

'Y flondan fain 'na mae o wedi bod yn ei ffwcio.'

Ond brawddeg dawel, ddiebychnod oedd hi, yn gwneud i'r plaendra swnio bron yn delynegol.

Mi oedd galar yn fy nghadw fi rhag gwrido. Rhag cywilyddio wrth gofio mynd drwy'i frîff-cês o gynnau, chwalu'r dystiolaeth ddamniol, y negeseuon oedd yn aros ar y ffôn symudol, y llun ohoni... Y hi. Y cariad na wyddwn i fawr ddim amdani. Dim ond ei bod hi'n bod. Yn byw yn ei ben o ddydd a nos. Yn golygu mwy iddo na ddaru'r un ferch erioed. Mae'n debyg mai dyna pam y soniodd o cyn lleied amdani. Roedd o'n ei hamddiffyn hi'n dyner wrth ddeud dim ac yn datgelu'r cyfan 'run pryd.

'Ella cei di'i chyfarfod hi rhyw ddiwrnod,' medda fo unwaith. Coegni ffug oedd o. Hefo hi'r oedd o'n mynd i fod. Roedd y penderfyniad hwnnw yn ei lygaid o, yn y ffordd yr oedd o'n ei chadw hi tu mewn iddo fo'i hun fel breuddwyd gyfrin.

Ond dwi'n gwbod rŵan, tydw, Ow? Gwbod pwy ydi hi. Oedd hi. Gwbod mai hi oedd hi. Yn syth bin. Pan welais i'r llun 'na ohoni am yr eildro. Llun swyddogol oedd o rŵan. Llun o'r athrawes benfelen. Y ferch a aeth ar goll. Gwbod lot fawr amdani rŵan, yn dydw? Gwbod mai Elen oedd ei henw hi. Gwbod mai iddi hi y rhoist ti dy galon, dy orffennol, dy bresennol. Hi fasai dy ddyfodol di hefyd. Ac er bod fy nghalon inna isio gwaedu eto dros Mari, mi deimlais eich hiraeth am eich gilydd yn y negeseuon cryptig, cariadus hynny a winciai arnaf oddi ar sgrîn dy fobeil di. A theimlo'n fradwr. Oherwydd Mari a'r plant. Teimlo'n fradwr am gadw dy gefn di'r bastad twyllodrus. Ond ni oedd y mêts, de, Owain, 'rhen foi? Chdi a fi'n rhannu desg, rhannu smôcs, rhannu budreddi'r ffycin job ddiddiolch 'ma, ista mewn ceir am ddau o'r gloch y bora a'n ceillia' ni'n rhewi'n gorn...

Mêts. Cadw ar 'i gilydd, tydyn? I'r diwadd. Thorrais i mo dy ben di, boi, ond Iesu Grist, taswn i'n onest, mi oedd hynny'n fwy er mwyn Mari nag er dy fwyn di. Wyddat ti ddim faint o feddwl fuo gen i ohoni – Mari lân, Mari ffyddlon, lygatddu, adra'n aros amdanat ti drwy'r cyfan... Wyddai hithau ddim chwaith. Am wn i. Am y cynnwrf tu mewn i mi pan edrychwn arni. Mae meddwl amdani wedi 'nghadw fi'n effro sawl noson tan yr oriau mân. A hyd yn oed tra oeddwn i'n cael Siw, ynddi hi, yn ei chymryd hi, mi gaeais fy llygaid yn dynn a gwasgu llun Mari i 'mreichiau. Mi oedd y cyfan yn golygu rhywbeth wedyn a Siw'n llonydd o dana i, yn deud dim ac yn dyheu i mi sibrwd ei henw hi. Ai felly'r oedd hi i Mari hefyd? Enw rhywun arall yn sownd yn dy gorn gwddw di a chditha'n cyd-amseru dy orfoledd hefo rhith, yn dwad rhwng cluniau'r ferch yn dy ben? Na, nid Mari oedd yn cyrraedd y mannau cudd yn dy enaid di lle bu'r gwreichioni. Mi oeddwn i'n falch o hynny, rhywfodd. Dim ond felly y medrwn i ddwyn rhan ohoni a'i chadw i mi fy hun. Mari ffyddlon, wirion yn gwrthod torri'r rheolau.

Nid fel y bora hwnnw. Bora o Fehefin glawog yn torri'r rheolau i gyd. Mehefin heb haul, yn rhyfygu'n llwyd, yn gwrthod cydymffurfio. Mehefin budur. Rynwe'n wlyb. Tanc yn ffrwydro. Basgiad o awyren yn blethwaith gwaedlyd...

Newydd fy ffonio i oeddat ti. Mi oeddat ti'n byw ar y blydi ffôn 'na. Finna wedi dechra meddwl mai dal y diawl peth mor aml wrth dy glust oedd yn sgramblo dy frên di! Ond bod mewn cariad ddaru hynny i ti, de? D. I. Owain Wynne, tyff gai, blac belt, bynji jympar o fri. Ddim mor tyff pan ddest ti ar draws dy Elen benfelen, fwyn chwaith, nag oeddat, Ow? Ti'n cofio ni'n ista yn nhin rhyw glawdd yn y tywyllwch y noson honno ar ôl i ni gael y 'tip-off' 'na? Ti'n cofio cân Johnny Cash ar radio'r car? Ninna'n gwrando'n ddidaro ar unrhyw beth i'n cadw ni'n effro. Ac mi ddoth y blydi gân 'ma o rywle. 'This Thing Called Love'. 'Ia,' medda chditha, yn lled freuddwydiol, annisgwyl, o ganol mwg dy sigarét. 'Ffwc o beth ydi o, Viv, 'rhen fêt. Dod â'r dynion mwya' i lawr ar eu glinia', yli.' A'r adeg honno y sylweddolais i na welais i 'rioed mohonot ti'n gwenu o'r tu mewn fel yna o'r blaen.

'Pwy ydi hi, ta, Viv?'

A phan ofynnodd Mari hynny i mi, dyna'r cyfan a wyddwn. Wyddwn i ddim mo'i henw hi'n llawn bryd hynny, ac eto rôn i'n gwbod ei bod hi'n golygu popeth i ti, Ow. A finna mor gymysglyd. Uffarn dân, isio cadw dy gyfrinach di, oeddwn, isio amddiffyn Mari a hefyd, yn y ffordd ryfeddaf, mi oeddwn i'n meddwl o hyd am

58

y ferch benfelen oedd yn dy garu di. Pwy fyddai'n deud wrthi hi, ta? Pwy roddodd y neges ola' 'na iddi hi...?

Anghofia i byth. Rôn i newydd eu chwalu nhw. Y negeseuon 'tecst' 'na oedd yng nghof dy fobeil di. Dileu'r ddamnedigaeth. Y sgrîn yn gwagio dan fy nwylo i. Ac yna'n sydyn, y blîps 'na. O, Iesu Grist! Mi drodd fy stumog i. BLÎP BLÎP BLÎP... NEW MESSAGE: READ NOW?

Diawl, Owain! Be' oeddwn i i fod i'w wneud? Jyst ei ddiffodd o, ia? Ei hanwybyddu hi? Sut medrwn i? Sut medrwn i gau 'nghlustiau i frys bach y sŵn...

> CYSYLLTA. LLE WYT TI?
> GARU GARU GARU DI...

[ERASE?]

[YES]

[MESSAGE DELETED]

***

[NO MESSAGES]

Ac meddai Pennau'r Blodau a'r gwlith ar eu gwarrau:

Roedden ni'n gwybod

gwybod

    gwybod

        y byddet ti'n dod.

Mi ddoist ti, Nen.

Cyn i ni wywo.

Cyn i ni freuo.

O, o'r dechrau

rydan ni'n frau.

Ac mi oedden ni'n frau a'r nos yn cau ac mi ddoist ti a'n
gwlitho eto â'th hiraeth llaith. Anwesaist ni, un ac oll,

a cholli

pennau dy fysedd rhwng ein petalau oer

ac roedd y lloer

yn ddeigryn hefyd,

yn fodrwy aur am d'ofid di.

MARI

Ddoth hi ddim i'r cnebrwn. Wel, doedd dim disgwyl
iddi ddwad, nag oedd? Doedd ganddi mo'r hawl, beth
bynnag. Fi oedd ei wraig o. Fy ngŵr i oedd o pan fu
farw. Cyfreithlon o hyd. Ac mi oedd hynny'n cadw
pethau'n dwt. Fi oedd pia fo'n gyfreithlon. Felly fi
oedd pia'r galar hefyd, a'r hawl i'r dillad duon duaf
un. Ond hyd yn oed bryd hynny, mi ôn i'n teimlo
'mod i'n cael fy nhwyllo. Hyd yn oed tra oedd y
ddaear yn ei lyncu o. Safn y bedd. Y pridd llaith yn
llyfu'i weflau. _licking its lips_

Mi oeddwn i'n hanner-disgwyl iddi ymddangos o
rywle'n ddisymwth, fel arwres drasig mewn ffilm, yn
dryloyw yn ei galar. Ac er na ddaru hi ddim, mi oedd
hi yno, yn fwy o rith nag oedd Owain ei hun. Fedrwn
i wneud dim byd ond sefyll yno a nhwtha i gyd yn
disgwyl i mi berfformio. Yn disgwyl am y
disgwyliedig. Y sioe arferol. Dagrau'r weddw ar y tu
allan i gyd, yn disgyn heb wlychu'i bochau hi, yn grwn
a gwyn fel perlau'n rowlio. Disgwyl am y rheiny'r
oedden nhw, am ddatganiad cyhoeddus o 'ngalar i.

Ac yna – O, Dduw Mawr! Mi roddodd rhywun
flodyn yn fy llaw i. Daeth y parlys a oedd eisoes dros fy

x rhith
appearance
form
phantom

synhwyrau i dros fy mysedd i hefyd. Fe'm lladdwyd i'r eiliad hwnnw. Ces fy lladd hefo blodyn, yng ngŵydd pawb. Braint cariadon ydi ffarwelio'n gyhoeddus trwy luchio blodau ar gaeadau eirch. Cariadon mewn llyfrau lle mae galar yn dlws.

Ac felly mi sefais i, a choesyn hir y blodyn yn chwysu'i wyrddni rhwng fy mysedd i. Sefyll a syllu. Cragen oeddwn i. Cragen wag y weddw ga'dd ei gwrthod. Y bastad. Mi aeth o â'r urddas olaf hwnnw oddi arna i hefyd. Oherwydd mai arna i yr oedden nhw'n sbïo. Pam nad ydi hi mewn llewyg bellach a'i nadau hi'n rhwygo'n flêr trwy ogla'r blodau? Felly dylai pethau fod. Peth felly ydi galar gweddw. Pam na wneith hi grio…? Ond fi oedd y weddw oer a'i düwch yn hongian oddi arni bron heb ei chyffwrdd. Damia fo! Hyd yn oed ar ddydd ei gladdu, mi fynnodd gael y gair ola'. Fy nghymryd i'n sbort a finna'n rhoi wyneb ar betha'. Fel arfer. Fel erioed.

Mi oedd gen i sgidia' newydd. Sgidia' cnebrwn. Patant leddar du a'u cefnau nhw'n galed, yn rhwbio'n gïaidd yn erbyn y croen. Gwthiais fy modiau i'w blaenau nhw – sgriwio 'nhraed i ben eitha'u cyfyngder caled. Wedyn mi deimlais i'r lledr newydd yn ysu, cosi, crasu, yn agor cwysi yn y croen fel weiren boeth. Wedyn hefyd daeth y dagrau. Dagrau'n bynafyd nes 'mod i'n brathu 'ngwefus a honno'n gwaedu hefyd. Chest ti mo'r gorau arna i wedi'r cwbwl, Owain, 'y nghariad i. Mo dy ffordd dy hun i gyd. Llygad am lygad, deigryn am ddeigryn…

Bryd hynny y teimlais i lygaid Viv yn crwydro 'nheimladau i. Roedd arna i ofn yr hyn y byddwn i'n ei weld ynddyn nhw ac edrychais ar fy nhraed yn sgrechian yn fud mewn sgidia' rhy dynn. Mae Viv mewn cariad hefo fi. Ers blynyddoedd maith. Viv druan. Mor ofalus ohono' i bob amser. Mor ffeind. Yn cuddio'i deimladau'n glogyrnaidd o dan ryw ymgais ar blatoneidd-dra brau. Yn meddwl nad oeddwn i ddim yn gwbod. A wnes inna ddim cymryd arnaf chwaith. Tan hynny. Tan y diwrnod hwnnw.

Rhyw benderfyniad sydyn oedd o. Chwilio am ei lygaid yntau. Ac roedd hi mor hawdd cael hyd iddyn nhw. Doedd gen i ddim angerdd i'w gynnig iddo ond yn sydyn, doedd dim ots. Roedd gwbod ei fod o'n dyheu'n ddistaw amdana i'n ddigon. Roedd dychmygu derbyn ei gysur o'n troi'n wres aflonydd rhwng fy nghluniau, yn codi'n wrid digywilydd drosta i.

Pan aeth y galarwyr olaf o'r tŷ y p'nawn hwnnw, mi es i â Viv i'r gwely. I wely Owain a fi. Cefais gic ryfeddol o sylweddoli efallai bod ogla Owain ar y gobennydd o hyd. Ond fi oedd yn rheoli. Fi oedd yn arwain. Roedd hi'n hawdd hefo Viv. Yn haws. Viv annwyl, ddiymhongar. Viv oedd wedi gwirioni i ben. Viv yn ufudd, yn hydrin. Wedi aros amdana i'n hir. Roeddwn i'n fentrus, yn fwy mentrus nag y bûm i 'rioed hefo Owain. Yn meddiannu. Yn cael bod yn hŵr yn fy ngwely fy hun lle'r oedd blodau bach y cynfasau'n matsio'r llenni. Yn cael bod yn fi.

Roedd Viv a'i bleser yn boeth o dan fy nwylo – gwefus wrth deth, gruddiau rhwng cluniau. A f'enw i oedd yn canu trwy'n caru ni: Mari, o, Mari... Yn gân ar erchwyn y gwely. A finna isio'i chlywed hi. Clywed fy enw'n deyrnged ar ei wefus o. Ac mi driais i. Mi driais i wrando. Ond fedrwn i ddim clywed. Am bod 'na leisiau... lleisiau eraill yn siarad ar draws pethau, yn boddi f'enw i.

Lleisiau rhithiau.   *phantom voices*

Llais Owain o bell wedi'i rwydo mewn llen.

Yn dyner.

Yn dlws.

'Dwi'n dy garu di, Nen.'

Ac meddai'r Gwyfynnod trwy'u cylchoedd o gryndod:

Mae'r methu wylo'n waeth. Yn dy ddal di'n gaeth. Yn dydi, Nen? Pan fo'r dagrau'n mynd yn hesb? Mi wyt ti'n crafangu dy gnawd dy hun bryd hynny – dy gluniau, dy freichiau. Yn rhwygo dy fysedd trwy dy wallt nes bod chwys a chudynnau'n un. Ond dydi o ddim yn brifo, nac ydi? Dwyt ti ddim yn teimlo llafnau dy winadd yn agor cwysi yng nghledrau dy ddwylo. Weli di mo dy gripiadau dy hun. O achos mai ar y tu mewn mae'r briwiau. Tu mewn i ti sy'n bynafyd. Tu mewn, lle mae'r gwydra'

cripiad (scratch) >See63

yn dy gylla   cylla (cyllâu) stomach

yn darnio, yn dân...

shreds
lefyd swrwd (fragments)

Mân, mân. Hen siwrwd mân. Breuddwydion yn cyrlio fel papur ar dân. Oedd, Nen, mi oedd o'n bopeth i ti, yn bopeth y breuddwydiaist ti amdano mewn dyn. A rŵan mae dy bopeth di'n ddim, a dy ddyfodol di'n dameidiau hyll o hances bapur wlyb lle'r eisteddi di. Yn siglo dy gorff yn ôl a blaen, yn ôl a blaen, fel hen wreigan wedi colli'i phwyll a'i hwyneb yn wag.

Wedyn daw'r parlys. Disgyn dros gyhyrau dy wyneb fel cwfl y nos. A'r croen dan dy lygaid yn dynn, dynn fel petae esgyrn dy fochau'n mynnu tyllu drwyddo. Ac mi wyt ti'n cofio…Cofio'r nos a'i lleisiau mud a'r hud wedi diffodd yn damp fel sêr ar y glaw.   (tamp – coll. damp)

Ond mi ydan ni'n dy weld di, Nen. Yn dy weld tu ôl i fasg dy wyneb chwyddedig. Yn tynnu atat ti. Yn gweld lle bu'r golau pan gyffyrddodd o ynot ti.   cyffwrdd (touch, come in contact)

Gweld lle bu'r gwenau.

A mentro troi'n hadenydd yn gusanau.

SAL

Rôn i'n swil. Fues i 'rioed hefo neb ond Huw. Ei
ffordd o oedd yr unig ffordd y gwyddwn i amdani. Ia,
fi oedd yr un swil tra bod Tommy'n brofiadol, yn
gwybod sut i blesio merch. Ac eto, y tro cynta' hwnnw,
mi oedd 'na gryndod yn ei ddwylo yntau. Mi oedd
hynny mor dlws – y cryndod bach 'na. Yn dangos bod
ots ganddo fo.

'Na,' medda fo. 'Paid â'u tynnu nhw.'

Doeddwn i erioed wedi gwisgo fy sanau i garu o'r
blaen. Erioed wedi meddwl. Peth braf oedd o.
Hwrllyd o braf. Neilon fy nghoesau'n sibrwd ar hyd ei
groen. Fel sŵn cath yn llyfu. Fel gwinadd bach yn
crafu... Roedd y cyfan mor wahanol – yn fentrus, yn
ddychrynllyd o newydd: Tommy'n fy mlysu i, fy mlasu
i, yn f'agor â'i dafod a'r cyd-ddyheu'n ddiferion yn y
gwres rhyngom. O, mi oedd o'n garu tanbaid, tlws, yn
fy llenwi i'r ymylon. Peth ysol ydi o. Ysgubol. Caru
rhywun mor llwyr. Mae o'n deimlad sy'n eich
meddiannu, yn chwyddo tu mewn i chi ac yn clymu'r
meddwl fel galar. Ac mi oeddwn i'n caru Tommy. Yn
ei garu o gymaint. Yn caru'i garu o. Tommy â'i lygaid-

68

tyrd-i-chwarae. Tommy â'i hiwmor. Tommy'n dyner. Yn gariadus.

Yn briod.

Deliah oedd ei henw hi. Enw crand i un fach mor ddisylw. Mi fyddai'i hwyneb hi fel y galchen bob amser. Roedd ei nerfau hi'n fregus a'i brest hi'n wan. Gwisgai'i gwallt wedi'i dynnu'n ôl yn dynn. Roedd hynny'n noethi'i thalcen hi, yn gwneud golwg ddioddefus arni. Mi fyddwn i'n f'arteithio fy hun wrth feddwl am Tommy yn y gwely hefo hi. Wrth ddychmygu noethni llydan ei gefn, rhythm ei gorff, lliw-gwêr ei chroen hithau'n darfod odano fo, yn toddi fel cannwyll i'w wynder ei hun. A chawn bleser wrth feddwl nad oedd hi'n ddim ond gollyngdod iddo. Gwelais ei dyletswydd yn gwywo yn sŵn ei ochneidio fo a theimlo'n llai cenfigennus o'r herwydd. Oherwydd mai ata i yr oedd o'n dod am nad oedd hi'n ddigon.

Mi oedd o am ei gadael hi. Am adael Deliah. Finna am adael Huw. Huw a'i oriogrwydd a'i ddifaterwch; Huw a'r holl feiau a oedd yn help i leihau f'euogrwydd i. Ac ymhen ychydig iawn iawn, mi aeth yr euogrwydd hwnnw hefyd yn ddim. Mi bylodd yn sglein bod hefo Tommy. Mae o'n brifo hyd yn oed rŵan; mae o yno o hyd yng nghefn fy meddwl i, yn ailgynnau'n ddigymell bron. Mae pethau bach yn dod â'r cyfan yn ôl – y nyrs fach 'ma'n sôn am ei chariad newydd, yr hen deledu 'ma, caneuon ar y radio, Elen... Ia, Elen y noson o'r blaen a'i llygaid hi'n crwydro... Elen yn holi ac yn stilio am ers talwm...

'Deudwch eto am Tommy, Anti Sal...' Er ei bod hi'n

gwybod yr hanes i gyd. A finna'n cofio dweud wrthi am y tro cynta', cofio'r p'nawn hwnnw a'r llenni net rhidyllog hynny'n rhwydo chwydfa ola'r haul. Elen yn ei harddegau a'i chariad cynta' wedi'i gadael hi. Elen yn ei dagrau. A'r rheiny'n cymell fy stori innau. Stori garu drasig, dlos. Dwi'n cofio iddi edrych yn syn arna i, yn edmygus bron. Gwelodd 'mod i'n uniaethu â'i gofid hi a daeth yn nes ata i, fy nghlymu â'i llygaid.

'Enw doniol gynno fo,' meddai hi.

'Be'? Tommy?'

'Naci; ei gyfenw fo.'

Mi ddeudais inna hynny wrtho fo hefyd unwaith. Tynnu arno fo. Deud bod enw fel Tommy Sparrow yn gweddu i'r dim i un a oedd yn gymaint o dderyn!

'Nid Cymro oedd o, felly?'

'Bron â bod,' medda finna.

'Be' dach chi'n feddwl?'

'Faciwî oedd o amsar rhyfal. Dod i aros hefo teulu'r Hendre pan oedd o'n saith oed. O Lundain. Aeth o ddim yn ei ôl.'

'Pam, Anti Sal?'

'Colli'i fam... mewn êr rêd – y Jyrmans yn bomio'r ddinas...'

Agorodd Elen ei llygaid yn fawr fel petae hi'n gwylio ffilm. Mi oedd hi'n rhyddhad ar ôl yr holl flynyddoedd. Cael deud. Cael cofio heb gywilydd.

'Cocni oedd o, felly!'

'Ia, debyg!'

'Ond mi oedd o'n siarad Cymraeg, yn doedd?'

O, oedd. Bob gair. Yn fy ngharu fi yn Gymraeg

hefyd. Mi oedd arna i isio cau fy llygaid am funud, dim ond er mwyn cofio hynny'n well.

'Dach chi'n iawn, Anti Sal?'

'Ydw, sti...'

'Criwch os dach chi isio.'

Ac mi oeddwn i isio, ac roeddwn i'n dotio at ei haeddfedrwydd hi'r un pryd wrth ganiatáu'r cysur hwnnw i mi mor rhad.

'Mi ddaeth pawb i wybod amdanan ni yn y diwedd – stori'n carwriaeth ni'n fêl ar fysedd pobol...'

'Ac Yncl Huw...?'

'Oedd, siŵr iawn. Mi oedd hwnnw'n gwbod y cyfan, fo a'i deulu. Ei fam o'n fy ngalw fi'n hwran...'

Geiriau sydd wedi eu serio ar fy nghof i. Hyd heddiw. Ond doeddwn i ddim. Ddim yn hŵr. Mewn cariad oeddwn i. Ydw i. O hyd. Hyd byth. Yn caru'r atgof ohono fo'n fwy nag y medrwn i garu neb byw wedyn. Tommy'n farw a finna'n byw hunllef, yn treulio fy nyddiau'n gwlwm dan ddillad y gwely yn dyheu am y bore, dim ond i ddeisyfu'r tywyllwch drachefn, a chymell breuddwydion dim ond er mwyn iddo fo ddychwelyd ata i ynddyn nhw. Isio chdi, Tommy, isio chdi, isio chdi...

A'r diwrnod hwnnw pan ddaeth Elen i'r ysbyty â'i gofid yn gryndod ym mhennau'i bysedd hi roedd hi fel petawn i'n edrych ar fy llun mewn hen ddrych smotiog. Yn gweld rhithiau, drychiolaethau, damwain motobeic a mwg...

'Owain oedd ei enw fo, Anti Sal...' Nid Tommy. Owain. Stori heddiw oedd hon.

Roedd hi fel petae arni ofn gollwng pwysau'i phen ar fy mynwes i, ofn fy mreuder i. *brittleness*

'Chi ydi'r unig un fedra ddallt...'

Roedd ei gwallt hi'n bersawrus ac esmwyth. Gwallt a roesai bleser iddo fo... Ac mi wyddwn i bod ei thu mewn hi'n dipia mân.

'Dwi ar goll,' meddai hi, heb symud ei gwefusau.

'Fo oedd dy gariad di, Nen,' medda finna, ac mi gwafrodd ei hysgwyddau hi o dan fy nwylo wrth i'r enw-hogan-bach ddod â ddoe yn ôl i ni'n dwy. *cwafrio Tremble*

Mi arhosodd hi yn fy mreichiau i am yn hir heb symud. Roedd pwysau'i phen yn dal yn braf ar f'anadl i; fi oedd yn cynnal, yn cysuro. Yn tynnu fy nerth oddi wrthi a'i fwydo'n ôl drachefn. Roedd hynny'n ein clymu ni fel llinyn bogail. Teimlais fy mhen yn ysgafnu – roedd arna i isio'i chodi hi yn fy mreichiau, mynd â hi i fyny fry lle'r oedd yr awyr yn iach a'r cymylau'n cyrlio; mynd â'r ddwy ohonom o'r fan hyn lle'r oedd traed mewn 'sgidia meddal, call yn cusanu sglein y lloriau. Ac meddai hi'n sydyn: *above*

'Fedra i mo'i gwffio fo ddim mwy, y poen 'ma. Dwi jyst yn gadael iddo fo ddod drosta i, gadael iddo fo frifo a brifo nes ei fod o'n ei ddifa'i hun. Ei barlysu'i hun. Llosgi allan tan y pwl nesa'. Dyna dwi'n ei wneud, Anti Sal. Ildio i'r brifo nes 'mod i'n teimlo dim... am dipyn bach...' *fight cwffio*

Fi oedd yn marw. Yn llosgi allan. Gen i oedd y cansar. Ond ei geiriau hi oedd y rhain. Geiriau gwraig yn ei gwewyr ola'... *anguish*

'Gymrith hi banad?'

Fy nyrs fach swnllyd i. Sathrodd yn glên, *sathru 1. to trample 2. to TREAD*

72

ddiarwybod ar y breuder i gyd. F'atgoffa i mai fi oedd yn sâl drwy ychwanegu'n rhy frwd i swnio'n dyner go iawn:

'Dydi petha ddim cyn waethed â hynny – ma'ch modryb rêl trwpar! Wedi cael dipyn go lew o ddyddiau da ar ôl ei gilydd rŵan, yn do, Sal? Na, 'sdim isio ypsetio, neno'r Tad! Mi edrychan ni ar ei hôl hi…'

Ond ddalltodd hi ddim, naddo? Wyddai hi ddim. Hon â'i chylchgrawn lliw o garwriaeth a ffitiai'n dwt rhwng shifftiau. Wyddai hi ddim beth oedd eistedd tu ôl i fasg ei hwyneb ei hun yn tylino gofidiau i ffunen wlyb. Doedd ganddi mo'r syniad lleiaf, nag oedd? Ac eto, beth oedd ots? Hyd yn oed pe bai hi'n gwybod y cyfan fyddai hi ddim wedi gallu cynnig dim byd amgenach na phanad o de, na fyddai? Panad a gwên a diolch i Dduw nad ei stori hi oedd hon.

Dyna'r tro ola' i mi weld Nen. Biti. Biti calon. Achos mai fel'na fydda i'n ei chofio hi rŵan. Yn denau a llwydaidd a dagreuol. Elen heb yr aur yn ei gwallt. Cofio'r nyrs a'r banad oedd yn rhy felys. Cofio ddoe a'r clwyfau'n agor. Cofio'i chysuro hi. Cofio methu.

Cofio'r clwtyn o wlybaniaeth ar du blaen fy nghoban i lle bu'i hwyneb hi.

Cofio meddwl bod 'na waeth pethau na marw.

Cofio cau'r cyrtans o gwmpas fy ngwely a chrio heb i neb fy ngweld rhag ofn y baswn innau hefyd yn gorfod yfed panad wedyn.

Ac meddai'r Lloer a'i chroen yn dynn:

Ti'n cofio'r nos honno a'i henaid ynghyn?

Llifais y llwybrau ag arian a gwyn.

Finna ar fy ngorau,

> *yn rhannu,*

>> *rhoi 'ngolau.*

Cystadlu â'r dydd i'r plant bach gael chwarae.

A thithau

> *heb boenau*

>> *a'r sêr yn rhy bell i ti deimlo'u nodwyddau.*

Roedd popeth mor iawn a 'mochau i'n llawn

> *nes daethon*

nhw

a'u gweill yn clecian fel dannedd gwrachod.

Bechod.

Biti calon

pan ddaeth y lladron

a dawnsio'n droednoeth wrth rannu gofalon.

GARI

Mi ôn i'n gwbod bod Elen yn gweld rhywun. Siŵr
Dduw 'mod i. Nabod yr arwyddion, doeddwn?
Gwbod am be' i chwilio. Y sawl a fu a ŵyr y fan, ac
ati... Ia, ocê, fi 'di'r cynta i gyfaddef nad ydw i ddim
yn angal. Mi grwydrais, do, ac mi gefais. A dyna'i
diwedd hi. Doedd o'n ddim byd. Rhyw oedd o. Dyna'r
cyfan. Diwallu angen. Llenwi gofod. Am fod Elen
yn... wel, doedd arni ddim isio gwbod bryd hynny,
nag oedd? Ond Iesu, wnes i ddim stopio'i charu hi.
Hyd yn oed hefo Liz, mi ôn i'n cau fy llygaid er mwyn
i mi ddwad hefo Elen, yn Elen... Er mwyn i mi gael
caru Elen wrth dynnu fy mysedd drwy wallt rhywun
arall... A fyddwn i byth isio aros, byth isio anwesu Liz
wedyn, byth isio deffro yn ei hymyl hi yn y bore. Mi
oedd Liz fel pryd bwyd i'w lowcio ar frys, heb eistedd,
heb estyn plât...

Pan gafodd Elen hyd i rywun, mi aeth fy mherfedd
i'n oer. Elen hefo dyn arall, yn cusanu, yn cofleidio, yn
rhannu. Yn rhoi. Gwneud popeth yr oeddwn i isio'i
wneud hefo hi... Caeais fy ngheg. Caeais fy llygaid.
Rhoi 'mhen yn y tywod a rhoi gofod iddi. Pa hawl
oedd gen i i'w beirniadu hi rŵan? A phan oedd hi'n

76

dianc o'r tŷ a gadael ei hesgusion ar ei hôl, rôn i'n cogio bod yn amyneddgar, yn dweud dim er bod y blydi peth i gyd yn stwmp ar fy stumog i. Wel, mi fasa, yn basa? Iesu, ma' gin ddyn ei falchder, does? P'run bynnag, mi benderfynais i ddisgwyl i'r chwiw basio. Mi fasa'r cyfan yn chwythu'i blwc, fel ddaru petha hefo Liz a fi. Mi fasa'r boi 'ma'n mynd yn angof ymhen dipyn a hithau'n sadio, dod at ei choed.*steady* Ailgydio mewn petha. Ailddechrau gwisgo'i sgertiau'n llaesach; ailddechrau gwisgo nicyrs gwyn, plaen a dim les arnyn nhw...

Roedden ni'n cysgu ar wahân. Ei dewis hi. Finna'n trio bod yn cŵl am y peth, ond mi ôn i'n dechrau poeni go iawn bryd hynny. Mi oedd y gwely'n teimlo'n fawr y noson gynta' honno. Yn fawr ac yn oer. Fel cae. Mi oedd hi fel tasai 'nghoesau i'n mynd ar goll am fod gen i ormod o le. Ac mi oedd hi'n uffernol o chwithig gweld ei phethau hi'n diflannu o'n hystafell ni fesul tipyn – petheuach dibwys fel poteli o bersawr a thacla trin gwallt. Ond ei phetha hi oeddan nhw, de? Rhannau bach ohoni hi'n llithro o 'ngafael i a finna'n ddiffrwyth, yn ei gwylio hi'n ailgodi rhyw nyth bach o breifatrwydd iddi hi'i hun ar draws y landin ac yn cau'i drws yn dynnach hefo pob 'nos-dawch'. Uffar o beth oedd hynny. Gweld y drws 'na'n cau. A'i dychmygu hi wedyn yn tynnu amdani, yn ei pharatoi'i hun i lithro rhwng ei chynfasau ffres a meddwl amdano fo wrth i'w dwylo bach gwynion grwydro...

Un bore roedd ei drws hi'n gilagored. Fedrwn i ddim maddau. Diawl, mi oedd hi'n dal i fod yn wraig i mi, doedd? A dim ond sbio wnes i. Sbecian yn slei

77

trwy gil y drws fel hogyn ysgol. Roedd hi yn ei dillad isa', rhai newydd, mae'n rhaid, o achos mai dyna'r tro cynta' i mi sylwi arnyn nhw. Mi oedd y bra pinc-bron-yn-goch yn codi'i bronnau hi'n dlws a chroen y rheiny'n llaethog wyn yn ymyl y lliw tywyll. A'r blwmar i fatshio – os blwmar hefyd! Blydi hel, rhyw fymryn o beth oedd o nad oedd ei gefn o'n ddim ond llinyn ar hyd rych ei thin hi! Ac mi oedd y diawl bach yn amlwg yn ei ffansïo'i hun a finna'n dechrau cael min wrth ei gweld hi'n sefyll yno'n anwesu'i bronnau o flaen y drych. Ac yna'n sydyn, mi ddaeth pwl o chwithdod drosta i. Nid Elen oedd hon. Mi deimlais yn euog, fel petawn i'n amharu ar breifatrwydd rhywun cwbl ddiarth, rhyw ferch hyderus hardd na wyddwn i affliw o ddim byd amdani. *shred (clue ?)*

Mi arhosodd y darlun hwnnw'n hir yn fy meddwl i. Elen yn ei les pinc tywyll a'r haul yn chwerthin drwy ffenest y llofft sbâr. Ei llofft hi lle cadwai ei chyfrinach-au i gyd. Ac mi ddechreuodd y cenfigen gnoi yn fy nghylla i. Pyliau bach oedd o i ddechrau, ysbeidiol fel y ddannodd wyllt ond yn brifo'n uffernol pan oedd o arna i. Wedyn mi aeth o'n fwy, yn barhaus, yn trymhau yn fy mherfedd i fel tyfiant sinistr a fedrwn i ddim dioddef rhagor. Roeddwn i am ddweud wrthi. Gofyn iddi. Crefu arni ar fy ngliniau os oedd raid. Roeddwn i am ddweud: Plîs, Elen, tyrd yn d'ôl i 'mywyd i, i 'ngwely fi… ein gwely ni…

Dewisais fy noson yn ofalus. Noson y gwyddwn i y byddai hi gartra. Noson pryd na fyddai hi wedi bod hefo fo… Pryd bwyd, gwydrau gwin ar y bwrdd, cannwyll hyd yn oed. Mi oeddwn i wedi llyncu fy

malchder i gyd ac Iesu! mi oedd 'na uffar o flas drwg
arno fo. Ond mi oeddwn i'i hisio hi, yn doeddwn? Isio
Elen yn ôl. Mi oedd hi'n gweithio'n hwyr y noson
honno. Rhyw gyfarfod rhieni ac athrawon. Doeddwn i
ddim yn disgwyl ei gweld hi tan saith o'r gloch o leiaf.
Ond mi aeth hi'n un ar ddeg a dim golwg ohoni. Mi
oedd y blydi pryd bwyd wedi mynd yn ffliwt erbyn
hyn, yn doedd, a finna'n gonion, methu dallt be' oedd
wedi digwydd, ac yn naturiol yn amau'i cherddediad
hi. Mi 'steddais a gwagio'r botel win. Y bitsh fach
anystyriol! A'r bastad iddo fynta! A phan glywais i'r
drws cefn yn agor am un o'r gloch y bore mi oeddwn
i'n barod amdani. Dwi'n cofio teimlo'n uffernol o
benysgafn. Y gwin coch oedd hynny ond mi oeddwn i
mewn tymer hefyd. Dan deimlad. Wn i ddim yn iawn
be' yn union oedd yn fy mhen i, heblaw nad oeddwn i
ddim yn meddwl yn rhyw glir iawn ac mi oedd yr ysfa
i ddial arni hi a fynta'n dynn ar draws fy mrest i. Bron
heb yn wybod i mi fy hun mi deimlais i 'mysedd yn
ymbalfalu tua fy malog i ac roedden nhw'n ddiarth a
chwithig, fel bysedd rhywun arall. Y cyfan a wyddwn
bryd hynny oedd fy mod i am ei chael hi i mi fy hun.
Roeddwn i'n mynd i'w chymryd hi, ei meddiannu hi.
Mynnu fy hawl.

Cydiais yn ei braich hi wrth iddi gerdded i mewn.
Roedd ei dychryn hi'n amlwg, yn glywadwy yn nhwll
ei gwddw hi.

'Na, Gari... Paid! Paid â 'nghyffwrdd i... Plîs... o,
na...!'

Finna'n meddwl pa mor pathetig oedd hi'n swnio
ar y pryd ac roedd hynny'n fy sbarduno i rywsut, yn fy

ngwylltio i fwyfwy. Mi oedd y gwin yn eistedd ar f'ymennydd i a finna'n glogyrnaidd, fy meddwl i'n dew fel petae llond fy mhen i o blu. Dwi'n cofio sŵn meddal ei dillad hi'n rhwygo a finna tu mewn iddi a hithau heb wlitho dim, yn sych fel darn o afal wedi'i adael yn yr haul...

Nid pleser oedd o. Na dialedd chwaith. Rhyw angen greddfol oedd o i brofi 'ngwrywdod. Rhywbeth cyntefig. Fel rhoi nod arni hi rhag iddi grwydro eto. Elen... Elen fwyn... Pan godais oddi arni roedd fy ngwynt i'n fyr, yn bachu yn fy llwnc i'n bycsiau herciog fel petawn i wedi bod yn rhedeg. Edrychodd hi ddim arna i. Ddim unwaith. Trwy gydol y cyplu anfoddog hyll 'ma. Tra oeddwn i'n ei chymryd hi. Edrychodd hi ddim. Fi oedd y cryfaf ohonon ni'n dau, de? Fi ddaru feddiannu. Fi gafodd fy ffordd. Y concwerwr mawr. Ond pan oedd y cyfan drosodd wyddwn i ddim sut i fod. Roedd hi'n grynedig. Yn ei chwman. Y ferch a oedd newydd gael ei threisio'n dal ei blows hefo'i gilydd yn dila a'i hwyneb yn wag. A wedyn mi oedd fy nadau i fy hun yn uwch na phopeth a minnau'n ffieiddio at y sŵn 'ma oedd yn rhwygo trwy dwll fy ngwddw i. Ac mi oedd gen i gymaint o gywilydd rŵan, yn doedd? Arglwydd Mawr! Ei gweld hi fel'na. Finna'n dechrau sylweddoli beth wnes i a hynny'n dechrau codi cyfog arna i. A dyma'r nadau a godai tu mewn i mi'n troi'n eiriau, yn llifeiriant pathetig na fedrwn i mo'i atal:

'Elen... 'y nghariad i... ia, chdi 'di 'nghariad i – dyna pam... O, Iesu! Wnes i ddim bwriadu... dy garu di ydw i, dyna pam...'

Wedyn yr edrychodd hi. Wedi'r geiriau hynny. Ac mi ddywedodd fy llais inna'n wylaidd, wirion o ddespret unwaith yn rhagor:

'Fedra i mo dy feio di rŵan am fy nghasáu i...'

Symudodd ei phen. Y mymryn lleiaf. Codi'i gên yn uwch. Lledu'i llygaid nes bod golwg wedi'i hypnoteiddio bron arni. Mi ddaliais inna f'anadl ar y symudiad hwnnw am ei fod o'n annisgwyl a hithau mor fud, mor llonydd. Roedd hi fel petae delw wedi anadlu arna i. Ac meddai hi:

'Dydw i ddim yn dy gasáu di.' Ychwanegodd wedyn, yn greulon, ofalus wrth weld y gobaith yn llaith yn fy llygaid i: 'Nid dy gasáu di, Gari. Ei garu o. Yn fwy na wnes i erioed dy garu di. Yn fwy na wnes i erioed ddychmygu y gallwn i garu neb byth.'

Mi oedd ei geiriau hi fel dail yn disgyn. Finna isio cydio yn sychder pob un ohonyn nhw a'i chwalu o, chwalu'r petha crin 'ma'n siwrwd mân. _fragments_

'Roeddwn i am ddweud wrthot ti ar ôl dod adra heno,' meddai, 'ond ches i fawr o gyfle, naddo?'

Dywedodd hynny heb falais, fel petae rhywbeth arall, dibwys, wedi'i rhwystro hi, rhyw niwsans o rywbeth fel ateb y ffôn ar adeg anghyfleus. A ninnau'n gwbod pam. Yn gwbod nes bod hynny'n niwlio'n wyn o flaen ein llygaid ni.

'Dweud be'?' medda finna. Gofyn y peth amlwg, de? Jyst geiriau oeddan nhw i lenwi gofod chwithig.

'Bod gen i gariad.' Fflat. Ei llais hi, y geiriau. Mi ddisgynnon nhw'n ddi-ffrwt i'r lle gwag rhyngon ni fel cerrig i fwd.

'Elen fach, ti'n meddwl nad oeddwn i ddim wedi

amau, na wyddwn i ddim...? Yli, dim ots. Mi anghofia i am y cwbwl. Mi rown ni'r cyfan yn y gorffennol – fel y gwnes i hefo Liz... 'Dan ni i gyd yn gneud camgymeriadau...' Roeddwn i wrthi eto, yn crefu arni, yn erfyn. Yn casáu fy ngwendid fy hun ar yr un pryd.

Safodd Elen ar ei thraed. Roedd ei gwallt blêr a'r rhwygiadau yn ei sanau hi yn rhoi rhyw urddas anghyffredin iddi, fel merch a fu drwy bethau mawr, drwy erchyllterau rhyfel, neu ddaeargryn neu lifogydd. Merch a oroesodd.

'Dwi'n ei garu o,' meddai hi'n syml. Roedd ganddi gylchoedd duon o dan ei llygaid.

'A beth amdanan ni?'

'Does 'na ddim – fydd 'na ddim "ni" byth eto, Gari.' Oer. Bron yn daclus o derfynol. A 'byth' yn uffar o amser hir...

'Ti'n mynd ato fo, felly?'

Gwenodd trwy'i chwerwedd wedyn, siâp-gwên o wên nad oedd hi'n wên o gwbwl. Finna'n dal i bwyso arni. F'arteithio fy hun.

'Pwy ydi o, ta, Elen? Dywed wrtha i. Dywed be' ydi'i enw fo, o leia.'

Anadlodd hithau'n herciog. Roedd ei hwyneb hi'n llwyd fel llinyn. Sylweddolais gyda phlwc sydyn o euogrwydd ei bod hi'n dioddef.

'Owain Wynne,' meddai hi'n bwyllog, fel petae hi'n gyndyn o ollwng ei enw dros ei gwefus rhag ofn iddi'i golli o. 'Ditectif Inspector Owain Wynne. Dyna oedd ei enw fo.'

'Oedd...?'

'Mi gafodd o'i ladd heddiw.'

Rhewais. Ac meddai'i llygaid hi: Wedi bod yn galaru ydw i. Ceisio dygymod. Wedi bod yn cuddio rhag gweddill y byd achos 'mod i bron â drysu gan hiraeth a phoen… Ond ei geiriau hi ddaru fy nychryn i. Ei phenderfyniad hi. Y ffaith bod ei galar hi'n gryfach nag unrhyw deimlad oedd ganddi tuag ata i. Roedd ei llais hi'n gaeth yn ei gwddw hi rhywsut, dan gwfl, fel cloch wedi'i lapio mewn cadach:

'Mi ges i rywbeth tlws. Rhywbeth rhy hardd a finna ofn ei golli o – fel dal darn o'r haul yn fy nwylo…'

Ar hynny mi edrychodd arna i. Chwilio fy wyneb i am ers talwm. Ond fedrwn i mo'i roi o iddi, na fedrwn? Fedrwn i ddim rhoi ddoe iddi. Mi oedd o'n staen ar fy meddwl i, fel staen ŵy ar blât. Yn edliw pethau. A darnau bach o'n haul ninnau'n bigiadau bach gwydrog drwy'r cyfan i gyd.

'Doedd y cwbwl ddim yn ofer, nag oedd, Elen? Rhyngon ni? Doedd ers talwm ddim fel hyn…'

Arhosodd ei llygaid yn eu hunfan a llenwi ac am eiliad dychmygais y byddai hi'n troi ata i, gadael i mi ei chysuro, ei chwtsho hi… Eiliad oedd o. Sylweddolais yn sydyn gymaint oedd y tŷ wedi oeri o'n cwmpas ni. Oerni'r oriau mân oedd o.

'Dwi'n mynd i fyny i 'ngwely,' meddai hi, heb symud ei gwefusau bron.

Roedd cnul melfedaidd yn sŵn ei thraed hi ar garped y grisiau.

blys longing
craving
lust.

Ac meddai'r Goeden Wen drwy'i changhennau brith:

Mae 'na awel fain sy'n gwthio'i thafod rhwng fy mrigau. Mae hi'n cyflymu, cynhyrfu, amseru'i blys wrth fyseddu'r ceinciau. Un fentrus, atgofus â'r haf ar ei gwefus-Ï chwerwfelys a finna'n cofio... gêm o guddio... dwy ferch fach a'u breichiau'n rhwyfo...

'Tyrd, Nen...' A thithau'n dilyn, y fechan benfelen, heb gwestiynu dim.

Hi oedd yn rheoli'r chwarae a'r hydref yn gwaedu trwy'i gwallt. Gorweddaist yn ufudd er mwyn iddi daenu cwrlid o ddail drosot, dy goesau, dy freichiau, dy wddw bach gwyn, dy wyneb, dy wallt...

'Na, Medi, paid!'

A doedd clywed ei henw hi'n ddim syndod am fy mod i'n ei nabod o erioed. Enw bach brown fel y mis ei hun, fel cnau a rhedyn.

Ac wylaist wedyn.

'*Dwi ddim yn lecio bod yn fan hyn…!*'

Dan y dail. Dan gwrlid. Roedd dy lygaid ynghyn… nid fan hyn…

Tyrd, Nen fach – yma ata i: tyrd i gesail hen wraig Coed Esyllt sy'n noethi'i bronnau hesb… barren

Dringaist heb ofal, yn uwch ac yn uwch nes bod dy gluniau di'n brifo'n braf;

gallet weld lle bu'r haf

o'r fan hyn –

man gwyn

a thithau'n gawres rŵan,

> *fyny fry,*

>> *yn fwy na hi.*

Doedd hi ddim yn gallu dy gyrraedd di.

Nag oedd, Nen?

Teflaist dy ben

> *yn ôl*

nes bod dy wddw di'n dynn

ac roedd ambell gwmwl yn sbio'n syn,

yn geg a thrwyn a llygaid mewn wyneb gwyn :

'Sbia i fyny, Medi! Sbia! Gwynab Duw!'

Cariad yw.

A hithau'n y gwaelod yn teimlo i'r byw.

MEDI

Mi safodd o yno, ar stepan fy nrws i, a'r diwrnod yn damp ar ei wegil o. Edrychodd arna i. Roedd ei lygaid o'n beryglus o wag.

'Ydi hi yma?' Ddaru o ddim defnyddio dy enw di.

'Nac ydi.'

Ac yna mi chwarddodd o'n uchel. Agor ei geg i chwerthin yn swnllyd, a dangos ei ddannedd wrth wneud, fel dyn o'i go'.

'Wn i ddim be' mae hi'n ei weld ynot ti,' meddai. Daeth tinc maleisus i'w lais o, ac roedd o wedi dechrau llafarganu'i eiriau bron, fel plentyn dichellgar. 'Blydi lesbian uffar!' *crafty*

Mi oedd o'n fy ngwylio i'n rhy ofalus, yn fy ewyllysio i godi i'r abwyd. Ac mi waedodd fy nghalon i, Nen. Oherwydd yr hyn oedd o. Oherwydd y blynyddoedd yr oeddet ti wedi'u gwastraffu yn ei gwmni o. Oherwydd ei wenwyn o. Dechreuais gau'r drws. Roedd yr hyn a ddilynodd fel golygfa mewn ffilm wael. Ffilm hefo cerddoriaeth sâl i guddio deialog salach, a dyn bygythiol ynddi hefo'i droed yn y drws. Ond fy nrws i oedd hwn a nhwtha wedi'i ddefnyddio fo heb ganiatâd. A dyma'r dyn drwg yn dweud:

'Dwi'n gwbod yn iawn am eich mistimanars chi. Paid â meddwl am funud nad ydw i ddim! O! mi geith pobol wbod am hyn, paid ti â phoeni. Y llysoedd – o achos y bydda i'n dy enwi di. Ti'n dallt hynny, debyg? A'r papura' newydd. Mêl ar fysedd, yn bydd? Rhwbath gwahanol. Gwraig dyn yn godinebu – hefo dynas! Iesu! 'Ffrîc-shô' go iawn, myn uffar i...!'

Cŷt.

Oedd, mi oedd o'n chwip o berfformiad. Digon o wenwyn. Casineb. Y geiriau'n argyhoeddi. Ond mi oedd gan y dyn swigan o boer ar ei ên. Doedd hynny ddim yn y sgript. A rŵan mi oedd o'n ailsgwennu honno hefyd, yn gwyrdroi'r cyfan at ei ddibenion ei hun...

Cŷt.

Troed o'r drws.

Ond doedd 'na ddim ail-gynnig i fod. Dim ailwampio. Dim cynhyrchydd blaengar mewn siaced ledr i dynnu'i fysedd drwy'i wallt a rhegi'n ddeheuig.^{dexter} Dim rheolaeth. Jyst actorion sâl yn adlibio am y gorau, amseru cachu a'r golau'n dechrau mynd.

Nid fi oedd dy gariad di, naci, Nen? Ac mi wyddai yntau hynny: doedd o ddim hyd yn oed yn ei dwyllo'i hun. Oherwydd yn ddistaw bach efallai y byddai hynny wedi bod yn haws i rywun fel Gari ei dderbyn – chdi a fi. Efallai na fyddai merch arall ddim wedi bygwth ei wrywdod yn yr un modd. Pe baen ni'n gariadon. Ac ymhen hir a hwyr, mi fyddai wedi llwyddo i'w argyhoeddi'i hun nad oedd ein perthynas ni'n ddim mwy na'r cyfeillgarwch cyfrin hwnnw sy'n gallu bodoli rhwng ffrindiau-am-byth. Mi fasai ei resymeg ddu-a-gwyn wedi dy ennill di'n ôl a dy glymu di'n dwt yn ei feddwl rhwng y lluniau sefydlog, cysurus – crysau wedi'u smwddio, lloriau glân, ei ardd, ei gar, ei dŷ...

Pe baen ni'n gariadon. Ond doedden ni ddim. Nag oedden, Nen? Nid felly y cefaist ti dy greu...

Dwi'n cofio penderfynu wedyn nad oeddwn i'n mynd i edrych arno fo, i'w wyneb o, ar y sbeit yn gromfachau gwyn yng nghorneli'i geg o. Ac yn sydyn, aeth popeth yn llonydd, yn ddim. Doedd o ddim yna, ddim yn sefyll o 'mlaen i. Doedd o'n ddim ond sŵn traed yn pellhau – mydru meddal yn darfod ar le caled, fel lliain yn diferu i fath.

Mi oedd hyn cyn iddo fo wybod am Owain. Pan ddechreuodd o dy amau di, dy ddilyn di. Cyn i ti gyfaddef y cyfan. Cyn i'r heddlu ei holi o'n dwll. Roedden nhw wedi'i gadw fo i mewn dros nos – jyst digon o amser i'w anfon o at ymyl y dibyn, i gorddi'i hiraeth o, i fwydo dychymyg pobol... Maen nhw'n amau'r gwŷr yn gyntaf bob amser, yn dydyn, pan fo'u gwragedd nhw'n diflannu oddi ar wyneb y ddaear, yn cerdded allan o bethau... Ac mi oedd Gari'n un delfrydol i'w amau'r tro hwn, yn doedd, Nen? Y gŵr afresymol. Yr un gafodd ei siomi. Yr un a chwerwodd oherwydd godineb ei wraig benfelen, dlos. A doedd hyd yn oed hynny ddim yn ddigon iddi, nag oedd? Roedd yn well ganddi orwedd hefo ysbryd wedyn na throi at ei gŵr o gig a gwaed. Dyna oedd y peth gwaethaf, yr ergyd farwol – ei godineb ag atgof. Yntê, Mr Rees? Roeddech chi wedi gwylltio, yn doeddech? Wedi'ch brifo i'r byw. Siŵr iawn eich bod chi. Oni fasai

diffuant (genuine)
sincere

unrhyw ŵr yn eich sefyllfa chi'n teimlo'n union yr un fath? Gwyllt. Chwerw. Gorffwyll. Mae hynny'n ddealladwy...
frenzied

Be' ddaru chi hefo'r corff, Mr Rees?

Nid fi... na... wnes i ddim... Does gen i ddim syniad...
genuine

A chrio dipyn. Styrbio. Mi oedd o'n ddiffuant. Peth ofnadwy ydi hynny. Creulon. Dweud y gwir, yr holl wir, a neb yn eich credu chi. Do, mi griodd, a'i ruddiau fel papur yn sugno'i ddagrau. Llwyd ar lwyd fel glaw ar ffenest fudur. Wnes i ddim. Wnes i mo'i lladd hi. A fynta'n cael ei orfodi i ddychmygu sut beth fasai hynny, Nen – clymu'i ddwylo am dy wddw gwyn a gwasgu, gwasgu – anodd, mor anodd, anos nag a feddyliodd... y gwddw main 'na mor <u>dwyllodrus</u> o wydn, fel gwddw alarch; harddwch-tro'n-y-gynffon yn ymladd yn ôl...
deceptively tough

Be' ddaru chi, Mr Rees? Ei dilyn hi? Roeddech chi'n ei nabod hi cystal â neb. Lle fasai hi'n mynd? At bwy? I ble? Lle fyddai hi'n mynd pan fyddai hi isio dianc? Isio llonydd? Llwybrau'r mynydd? Glannau'r môr? Ynteu i Goed Esyllt lle byddai hi'n chwarae'n blentyn, lle'r oedd ogla'r dail yn marw'n dlws a'r cnau dan draed yn hollti? Ai yno'r aeth hi? A wedyn... be' wedyn? Nac'dach, siŵr iawn. Dach chi ddim yn cofio be' wedyn. Ynteu gwrthod cofio ydach chi? Gwrthod meddwl amdanoch chi'ch hun yn cloddio dan y dail llonydd lle'r oedd y pryfed, lle'r oedd y pridd yn feddal, yn friwsion du o dan eich ewinedd fel cymysgedd macabr o flawd a menyn... Ai dyna fu wedyn? Cloddio, claddu...?

Fynta'n gwadu. Dduw Mawr, naci! Nid felly oedd hi. Wn i ddim be' sy wedi digwydd iddi...! A'r sgrech fud tu mewn iddo'n bygwth hollti... O achos mai felly oedd petha. O achos na wyddai o ddim byd. Ond doedden nhw ddim yn gwybod hynny, nag oedden? Gwneud eu gwaith oedden nhw. Chwilio am y gwir. Chwilio amdanat ti...

Does neb yn gwybod, nag oes, Nen? Welodd neb. Cyrhaeddaist yn y tywyllwch. Roeddet ti wedi gwlychu dy draed. Tynnais dy sgidia meddal a'u rhoi o flaen y tân i sychu. Roedd ôl y gwlybaniaeth yn dlws arnyn nhw, fel patrwm les. Mwythais dy fodiau oer, tylino gwres fy nwylo iddyn nhw. Wnest tithau ddim gwingo fel byddet ti'n arfer ei wneud am na allet ti oddef neb yn cyffwrdd dy draed di! Ond doedd gen ti ddim goglais y noson honno; dim teimlad. Dim tynnu'n ôl.

Roedd dy wallt di, dy wallt hir melyn di, yn wlyb hefyd, wedi'i ddofi gan y tamprwydd oedd yn dy feddiannu ac yn peri i ti grynu fel cwningen. Roeddet ti wrth dy fodd ers talwm pan fyddwn i'n chwarae hefo dy wallt di, ei frwsio, ei gribo, ei blethu. A dyna wnes i'r noson honno. Brwsio, cribo, plethu. Llaw dde, llaw chwith, drosodd, danodd nes bod gen i gadwyn aur i'w chlymu am dy wddw noeth... Roedd hi'n gweddu i ti, Nen. Yn addurn. Aur gwyryf yn wrid yng ngwawr y tân...

Roeddet ti'n edrych mor dlws. Yn union fel plentyn yn cogio cysgu. Cwsg-cogio tlws a dy wefus yn brwydro'n erbyn gwên. Fel ers talwm – cogio cysgu a'r dail yn cosi dy ffroenau, yn gwneud i ti fod isio tisian! Chwarae cysgu, chwarae cuddio dan y Goeden Wen...

Ond nid cogio oedd hyn, naci, Nen? Nid chwarae.

Roedd dy dalcen yn gynnes am yn hir, dy wefus yn gynnes ar fy ngwefus... *huna, blentyn, ar fy mynwes...* gwres y tân yn wrid ar dy fochau, yn anwes... fesul fflam, fesul llam... *ni wna undyn â thi gam...*

Roeddet ti angen cysgu.

A finna angen cogio dy fod ti'n fy ngharu i.

Ac meddai Mis Medi a'i lais yn torri:

Mae hi'n oeri; y dyddiau'n byrhau. Fi pia'r nosau hir sy'n lapio'u cynffonnau fel cathod duon am ganghennau'r coed.

Dwi'n cadw oed

â mi fy hun,

yn gwylio'r tywyllwch ll'gadog ar ddi-hun.

A fi pia chdi.

Maddau i mi: fedra i ddim cynnig i ti wres yr haul. Does gen i ddim ond y dail a'u siffrwd buan fel tudalennau'n troi... Maen nhw'n gwrlid i ti eto, yn dy gosi, dy guddio wrth droed y Dderwen Farw Frith lle mae'r ddaear yn serog dan 'o' bach y gwlith... rustle starry

Gêm arall o guddio.

Mi wna i dy guddio di, Nen,

tra bod Duw'n cuddio'i wyneb yn y Goeden Wen.